CÓMO SUPERAR LOS PENSAMIENTOS NEGATIVOS

EL PLAN DE 7 PASOS PARA ELIMINAR LA NEGATIVIDAD, DEJAR DE PENSAR DEMASIADO, MANEJAR EL ESTRÉS Y CONTROLAR LA ANSIEDAD

CHASE HILL

ÍNDICE

INTRODUCCIÓN

Lisa había llegado al límite de su paciencia. Estaba harta de que le dijeran que dejara de ser tan negativa, como si fuera una opción.

Tom sabía que su negatividad lo agobiaba, pero demasiados clichés como "la vida es lo que tú haces de ella" hicieron que se desconectara completamente del mundo.

La pandemia había invadido a Jason de tanto miedo y negatividad que se volvió agorafóbico y no se atrevía a salir de casa.

Sami había llegado a un punto en el que no estaba segura de que valiera la pena luchar por vivir, ya que cada momento de su vida le resultaba desolador.

Y son miles, o incluso millones, las personas que tienen sus propias luchas personales contra la negatividad.

El problema de la negatividad es que no es simplemente un mal humor del que te puedes librar cuando lo desees. Tu mente empieza a reflexionar una y otra vez sobre los mismos temas, se pone a divagar y el miedo y la ansiedad se apoderan de ti.

Buscas algo que te inspire en el mundo, algo que brille con un poco de luz, pero eso no ocurre. Con el tiempo, empiezas a notar que tienes más pensamientos negativos que positivos, eres como una esponja que absorbe todo lo malo. Lamentablemente, el pensamiento negativo se torna un estado mental permanente que puede causar estragos en todas las áreas de tu vida.

Si sientes que estás caminando por el borde de un precipicio y que un sólo imprevisto más puede hacerte caer, no estás solo.

Según la Fundación Nacional de Ciencias, el 80 % de nuestros pensamientos son negativos. Si tenemos un promedio de 12.000 a 50.000 pensamientos al día, eso supone entre 9.600 y 40.000 pensamientos negativos diarios. Esto es, como mínimo, agotador. Estamos literalmente nadando en nuestros pensamientos negativos y muchos de nosotros nos estamos ahogando.

La negatividad no es como una pierna fracturada o un sarpullido. No puedes verla, pero la llevas contigo todo el tiempo. No todo el mundo puede permitirse una terapia o se siente cómodo con la idea de hablar con un extraño. A otros les preocupa que los etiqueten y se limiten a recetarles antidepresivos.

También hay muchas personas que sienten que merecen vivir con ese sufrimiento o incluso se sienten culpables por sentirse de ese modo. ¡Nada más lejos de la realidad! Todo el mundo merece tener una vida feliz y sentirse libre de hacer lo que quiera con ella. Mi objetivo es permitirte ver esto de una manera sencilla, eficaz y probada.

Mi primer libro *Cómo dejar de pensar demasiado* se convirtió en un éxito de ventas y despertó un gran interés por otros temas que maravillosos lectores estuvieron dispuestos a compartir con nosotros. En concreto, muchos de ustedes se interesaron especialmente por el capítulo sobre el pensamiento negativo.

Desde entonces, la pandemia, las catástrofes naturales y la inseguridad financiera causaron un fuerte aumento de las tendencias hacia los pensamientos negativos. Así que ha llegado el momento de profundizar en cómo abordar los pensamientos negativos y la preocupación constante.

Sentí que las personas sumidas en la negatividad necesitaban un plan sencillo que pudiera desglosarse y seguirse en pequeños pasos. Y así fue como se me ocurrió el sistema L. I. B. E. R. T. Y. con solo 7 pasos sencillos para ayudarte a entender de dónde provienen tus pensamientos y cómo empezar a ver los cambios que quieres lograr.

A lo largo de este libro, vamos a obtener una comprensión más profunda que te permitirá:

L— Leer y aprender cómo trabaja tu cerebro

I— Inspeccionar tus patrones de pensamiento

B— Borrar tus pensamientos negativos

E— Eliminar la rumiación y el sobrepensamiento

R— Reconfigurar tu cerebro, dominar tu mente y reducir el estrés

T— Tirar la negatividad y la preocupación a la basura

Y— Y sembrar cambios positivos

En 7 capítulos podrás entender por qué tu cerebro funciona como lo hace y de dónde proceden esos pensamientos negativos. Analizaremos los patrones y hábitos en los que solemos incurrir. Hemos incluido técnicas fáciles de seguir y ejercicios prácticos en cada paso del camino para que te sientas totalmente apoyado y preparado desde la comodidad de tu propia casa.

Hacia el final del libro, no solo hablaremos del pensamiento positivo, sino de cómo puedes realizar cambios para cuidarte en todos los aspectos de tu vida, de modo que te sientas con energía y preparado para entablar nuevas y emocionantes relaciones y aprovechar todas las oportunidades que se te presenten.

Yo he estado donde estás tú. Toqué fondo y permanecí allí demasiado tiempo. Como le daba vueltas a cada decisión, me quedé sin salida, en una rutina que me hacía dudar de todo en mi vida, desde qué cereales desayunar hasta la dirección que estaba tomando.

Mi novia se exasperó con mi falta de confianza y me dejó. Me perdí un ascenso porque creía que no era lo bastante bueno y empecé a sentir resentimiento hacia mi trabajo. Todo me enfurecía, pero no encontraba fuerzas para despejar mi mente.

Cuando me di cuenta de que no tenía a nadie a quien pudiera llamar *amigo*, supe que tenía que hacer algo.

Después de investigar, estudiar y aprender lo que no había que hacer, empecé a hacer pequeños cambios que condujeron a mejoras significativas.

No solo me prometí a mí mismo que nunca volvería a ese lugar oscuro, sino que también prometí ayudar a otros a lograr lo mismo. Mi amor por la psicología me animó a dar un giro radical a mi carrera y convertirme en coach de vida y especialista en interacción social. Cuanta más gente ayudaba, más me motivaba a profundizar en otras áreas, lo que me llevó a donde estoy hoy.

He leído numerosos libros sobre la negatividad, los patrones de pensamiento y la realización de cambios en la vida. Encontré que todos ellos me resultaban interesantes y mi cabeza asentía de acuerdo con los autores. Pero los cambios nunca llegaban.

Me di cuenta de que entender algo no era lo mismo que ponerlo en práctica. Por eso, encontrarás la ciencia que hay detrás de nuestra forma de pensar, así como actividades que puedes probar por el camino para sentir la diferencia. Entender qué es el sesgo de negatividad no significa que tengas las herramientas para romper el ciclo. En este libro encontrarás las herramientas.

Hacer este tipo de cambio en tu vida nunca es fácil. Requiere determinación, compromiso y paciencia. Tienes que aprender a perdonarte a ti mismo y empezar a poner un pie por delante del otro. No se trata de levantarse mañana y que las cosas sean diferentes. Si fuera tan sencillo, nadie sufriría de pensamientos negativos.

Por otro lado, siempre que estés preparado para hacer el trabajo que proporciona este libro, estás a 7 pasos de alcanzar una vida mejor. Nuestro primer paso es entender por qué nuestro cerebro se atasca en un ciclo continuo de pensamientos negativos.

PASO 1: LEER Y APRENDER POR QUÉ TU CEREBRO ESTÁ PROGRAMADO PARA LA NEGATIVIDAD

Lo primero que tenemos que controlar es reprendernos a nosotros mismos por nuestros patrones de pensamiento negativos. Todas esas personas que te han dicho que no eres más que una persona negativa, y que no intentas ser positivo, están equivocadas. La ciencia nos dice que nuestro cerebro está entrenado para prestar más atención a nuestros pensamientos negativos. Hasta cierto punto, hay una buena razón para ello.

Por un lado, cuando estamos estresados o sentimos miedo, nuestro cerebro libera las hormonas cortisol y adrenalina. Estas dos hormonas desempeñan un papel crucial en la respuesta de lucha o huida. La respuesta de lucha o huida es la que nos protege del peligro. Si tu hijo cruza la carretera, la primera respuesta es cogerle de la mano y probablemente gritarle porque tememos un accidente, aunque no venga ningún coche. Por otro lado, un exceso de cortisol puede tener numerosas consecuencias para nuestra salud. Algunas de ellas son:

- Aumento de peso
- Acné
- Adelgazamiento cutáneo
- Aumento de hematomas
- Debilidad muscular
- Fatiga severa
- Hipertensión
- Dolor de cabeza

La hipertensión, los dolores de cabeza, el aumento de peso y la ansiedad grave también son síntomas de un exceso de adrenalina. Estos factores incrementan el riesgo de sufrir infartos de miocardio y accidentes cerebrovasculares. Así pues, la liberación de cortisol y adrenalina suele ser algo bueno, pero en cuanto el pensamiento negativo se convierte en un problema serio, estamos poniendo en riesgo nuestra salud.

Existe otro problema con una respuesta hiperactiva de lucha o huida. Un aumento de cortisol incrementa la materia blanca en el cerebro. La materia blanca es buena para la comunicación entre la materia gris del cerebro, pero es la materia gris la que lleva a cabo los procesos. La materia gris es necesaria para afrontar el estrés con eficacia. Cuando predomina la materia blanca, junto con el aumento del estrés y el miedo, nos resulta más difícil descifrar problemas complejos.

Quienes no sufren de pensamiento negativo pueden dar un paso atrás y ver las situaciones desde perspectivas alternativas. En nuestros estados exacerbados, esto es mucho más difícil.

También tenemos que considerar que, aunque nuestro cerebro es un órgano, actúa como un músculo en el sentido de que necesita entrenamiento. Sin que sea culpa nuestra, nuestro cerebro ha sido entrenado de forma equivocada. Nuestros pensamientos negativos se procesan en el córtex prefrontal derecho, justo encima del ojo derecho. En la parte superior izquierda del cerebro tenemos el córtex prefrontal izquierdo.

Gracias a la tecnología que escanea el cerebro, podemos ver que las personas que sufren depresión tienen un córtex prefrontal derecho hiperdesarrollado y un córtex prefrontal izquierdo subdesarrollado. Imagínate levantar pesas solo con el brazo derecho: el izquierdo nunca podrá seguirle el ritmo.

Pero como el cerebro no es un músculo, ¿cómo funciona realmente? El cerebro contiene aproximadamente 100.000 millones de neuronas, y cada neurona tiene una media de 7.000 sinapsis (conexiones con otras neuronas). Todos nuestros pensamientos y experiencias negativas se almacenan en forma de recuerdos. Cada vez que evocamos un recuerdo, las sinapsis se refuerzan. Cuanto más a menudo se accede a estos recuerdos, más rápido y fácil es que reaparezcan los pensamientos negativos (Crawford, s.f.).

¿Realmente puede el cerebro ser tendencioso?

El sesgo de negatividad se remonta a nuestros antepasados y a su necesidad de ser precavidos ante los peligros del entorno. Su supervivencia dependía de ello. Por supuesto, hemos avanzado mucho desde que éramos hombres de las cavernas cazando o siendo cazados. No es necesario que estemos constantemente atentos al peligro, pero se trata de un proceso automático que empieza a desarrollarse en la infancia y que, en algunos de nosotros, se acentúa hasta tal punto que la negatividad nos consume.

Los psicólogos llevan años estudiando este sesgo negativo. El doctor John Cacioppo, de la Universidad de Chicago, estudió la actividad eléctrica de la corteza cerebral. A los participantes en su estudio se les mostraron imágenes que estimulaban emociones positivas y otras que estimulaban emociones negativas. Los estímulos negativos provocaron un mayor aumento de la actividad eléctrica que los positivos.

El neuropsicólogo Rick Hanson (Ph. D.), confirmó que la amígdala —la zona del cerebro que controla nuestras emociones y motivación— utiliza aproximadamente dos tercios de sus neuronas para detectar la negatividad.

Esto significa que dos tercios de tus emociones y motivación se centran en lo negativo: ¡la definición misma de tendencia!

Es más, la amígdala toma estas neuronas supercargadas y dominantemente negativas y las almacena muy rápidamente en la memoria a largo plazo. Por eso tendemos a recordar más las experiencias negativas o traumáticas que las positivas. Por eso es más fácil recordar un insulto que un cumplido. Y por qué pensamos negativamente con más frecuencia que positivamente.

La investigación de Cacioppo también descubrió que somos más propensos a tomar decisiones basadas en información negativa que en información positiva. Además, la negatividad tiene un mayor impacto en nuestra motivación. Si nos fijamos objetivos, hay más probabilidades de que nos centremos en lo que tendremos que renunciar para alcanzar el objetivo en lugar de en lo que ganaremos al lograrlo. (Cacioppo et al., 2014).

Imagina que tienes una discusión con tu amigo o con tu pareja. Aunque la discusión se haya resuelto, ¿te centras en los recuerdos, experiencias y cualidades negativas o piensas en todos los buenos momentos que han pasado y en por qué los quieres? El cerebro está programado para pensar en lo negativo.

¿Por qué la gente tiene pensamientos del tipo rumiación?

Hay una diferencia entre pensar demasiado y rumiar. Cuando pensamos demasiado, pasamos más tiempo del necesario dándole vueltas a una emoción, acción o experiencia. Una mujer que elige su vestido de novia probablemente piense demasiado porque es una decisión muy importante. La decisión no está rodeada de negatividad. La rumiación es el acto de pensar demasiado en sentimientos negativos, cosas que han ocurrido o cosas que pueden ocurrir o no. Ejemplos de rumiación incluyen pensar continuamente en:

- Una noche de fiesta en que saliste, tomaste demasiado e hiciste algo tonto
- Un error cometido durante una presentación
- Reprobar un examen
- Discutir con un ser querido

- Temor a enfermar

- Temor a perder tu trabajo, a un amigo o a tu pareja

- Calentamiento global y el fin del mundo

- Un evento social próximo en el que tendrás que hablar con desconocidos

- Qué hay de… y si tan solo...

La lista es interminable porque depende mucho de cada persona. Algunas personas pueden reírse de quienes rumian sobre el estado del planeta, tal vez llamarlos dramáticos. Pero otros pueden considerar que alguien es dramático por preocuparse por cosas que ya forman parte del pasado.

Hablando con clientes de todas las procedencias con distintos grados de pensamiento negativo, elaboré una lista de los pensamientos negativos más comunes y perjudiciales sobre los que rumiamos:

- Nunca seré capaz de hacerlo

- Ellos son mejores que yo

- He fallado/Soy un fracaso

- Nunca los perdonaré

- Debí haber hecho algo diferente

- Es demasiado tarde

- Esto será un desastre

- Eso es demasiado difícil

- Eso arruinó mi día entero

Una de las causas más comunes de la rumiación es cómo nos sentimos con respecto a un problema. Si temes perder tu trabajo y vives cada día sobre cáscaras de huevo, a la espera de que sea tu último día en la oficina, la rumiación se apodera de tu mente. Nuestro subconsciente siente que al pensar en este problema, repitiendo diferentes escenarios, estamos buscando respuestas para evitar la pérdida del empleo. El miedo inicial a perder el trabajo se sustituye por lo que nuestra mente cree que es una solución proactiva del problema.

> "Si un problema tiene arreglo, si una situación es tal que puedes hacer algo, no necesitas preocuparte. Si no tiene arreglo, no ayuda en nada que te preocupes. En cualquier caso, no hay beneficio en la preocupación".
>
> — *DALAI LAMA*

Es fácil viniendo de alguien que tiene un estado mental tan iluminado. Para el ser humano medio, la rumiación y la preocupación no es algo que podamos simplemente desconectar. Aunque todo el mundo se preocupa en algún momento de su vida, cuando la preocupación se vuelve problemática, es decir, afecta al trabajo y a las relaciones, puede convertirse en un trastorno de ansiedad generalizada (TAG). El TAG afecta a 6,8 millones de adultos en EEUU. Lo que es más preocupante es que el 25,1 % de los adolescentes de entre 13 y 18 años también padecen trastornos de ansiedad (ADAA, s.f.).

Ponerlo en práctica

Un ejercicio rápido para ti. Piensa en la semana pasada o en el mes pasado y enumera 10 cosas que te preocupaban que ocurrieran esta semana o este mes. Ahora piensa cuántas de ellas ocurrieron realmente. Voy a hacer la típica lista de cosas que me preocupan.

Me iba a quedar dormido **X**

Iba a cometer un error con un nuevo cliente **X**

No iba a poder resistir mi clase de gimnasia **X**

El transporte iba a chocar **X**

Mis padres me iban a regañar para que pasara tiempo con ellos ✓

Mis padres se pondrían enfermos **X**

No tendría suficiente dinero para ahorrar para mis vacaciones **X**

Mis amigos se iban a reír de mi corte de pelo **X**

Mi jefe me iba a despedir **X**

Iba a quemar la cena para los amigos ese fin de semana **X**

Una de mis 10 preocupaciones se hizo realidad e incluso estaba bastante fuera de mi control. Esto coincide con los datos sobre la validez de nuestras preocupaciones.

Según investigadores de la Universidad Estatal de Pensilvania, el 91,4 % de las preocupaciones no se hicieron realidad en personas con TAG (LaFreniere y Newman, 2018). Lo que nos lleva de nuevo al sesgo de negatividad. Nuestros cerebros están entrenados para pensar lo peor y, a pesar de nuestra inteligencia lógica, esta incidencia natural es difícil de detener.

Los errores típicos que cometen las personas que luchan con pensamientos negativos

De nuevo, cuando nos fijamos en los errores que hemos cometido con nuestros pensamientos negativos, no es otra razón para sentirnos mal con nosotros mismos. Lo que ha pasado, ha pasado y no podemos cambiarlo. Ser conscientes de los errores comunes nos ayuda a evitar cometerlos en el futuro. Si lees esto mientras asientes con la cabeza, puedes saber que no estás solo.

1) Ves las cosas en blanco y negro

No siempre es lo uno o lo otro: correcto o incorrecto, feliz o triste, bueno o malo. La vida es demasiado complicada como para ver las cosas en blanco y negro. En lugar de etiquetar algo como positivo o negativo, tenemos que ver las cosas tal y como son.

Cuando nos centramos en un extremo o en otro, nos perdemos una amplia gama intermedia: esta zona gris puede ayudarnos a ver las cosas desde otra perspectiva y a tomar mejores decisiones.

También es más fácil hacer pequeños cambios cuando dejas de ver solo en blanco y negro. Hoy te sientes negativo. Hay muchos tonos entre negativo y positivo.

Aspirar a ser positivo mañana puede ser un paso demasiado grande. En lugar de eso, mañana tenemos que proponernos estar bien; al día siguiente, bien; al siguiente, contentos, y así sucesivamente.

2) Barres tu negatividad debajo de la alfombra

Ojos que no ven, corazón que no siente. Pero no ocurre lo mismo con nuestros pensamientos negativos. Puedes apartarlos, pero no resolverás el problema. Ignorar el problema o fingir que no existe puede empeorarlo.

3) Te dices a ti mismo que las cosas están fuera de tu control

En muchos casos, esto puede ser cierto. Sin duda, hemos visto lo rápido que se nos puede arrebatar el control en los últimos 18 meses.

La pandemia nos ha arrebatado gente, nos ha costado nuestros trabajos, incluso nuestras casas, y durante mucho tiempo, nuestra libertad.

Sentir que estás fuera de control da miedo, pero tienes que recordar que siempre hay una cosa que puedes controlar: cómo reaccionas.

4) Supones y haces predicciones incorrectas

Cuando pensamos en lo que podría ocurrir, recurrimos a nuestros recuerdos en busca de experiencias pasadas.

Si alguien come marisco y se intoxica, evocará este recuerdo antes de volver a comer marisco. Si monta a caballo y se cae, antes de volver a montar se preguntará si le va a ocurrir lo mismo.

No hay pruebas que sugieran que la historia vaya a repetirse. Pero como nuestros recuerdos negativos son tan predominantes, sumados a la tendencia a pensar negativamente, caeremos en el hábito de predecir resultados incorrectos.

5) Ves la negatividad solo como algo negativo

Esta es buena, pero ¿has pensado alguna vez cómo la negatividad y la ansiedad juegan a tu favor? Asumes que vas a perder tu vuelo, así que creas un plan de emergencia. Caminar solo hasta casa te produce ansiedad, así que tomas un taxi, que es más seguro.

No estoy diciendo que debamos celebrar los pensamientos negativos que tenemos, porque tiene que haber un límite. Es importante darse cuenta de que tampoco queremos una vida 100 % positiva y que, al igual que nuestros antepasados, nuestra ansiedad y negatividad pueden mantenernos un poco precavidos.

6) Te enfocas en superar la negatividad en lugar de mejorar el autocuidado

El pensamiento negativo está interrelacionado con otros muchos problemas. Nuestra confianza está por los suelos; no nos gusta lo que vemos en el espejo o ni siquiera reconocemos quiénes somos. Estamos constantemente estresados y cansados. Aunque queremos reducir el tiempo que pasamos rumiando, también tenemos que empezar a cuidarnos como nos merecemos.

Encontrar la aguja positiva en el pajar negativo

En general, la negatividad se está reproduciendo y propagando como nunca. Esto es gracias a las noticias, Internet y las redes sociales. Cuando la peste negra comenzó en Europa en octubre de 1347, las noticias sobre su letalidad no habían llegado a América. Y no hubiera estado eso en las noticias las 24 horas del día.

De hecho, gracias a los Juegos Olímpicos, recientemente hemos tenido algunas historias internacionales inspiradoras. Pero aún así, hay gente empeñada en difundir negatividad. Echamos de menos los días en que las redes sociales se utilizaban para ser sociables, en lugar de alimentar los miedos y el odio de los demás.

No todo es pesimismo. Si nos fijamos bien, podemos ver a personas en el mundo que intentan cambiar las cosas. Empresas que replantan árboles, países que acogen a los desplazados por la guerra y las imágenes divertidas que no hacen más que hacernos sonreír. En las redes sociales no todo es malo. Movimientos como #BlackLivesMatter y #MeToo permiten la implicación global para poner fin a acciones injustas. Puede que sea un pajar negativo, pero la aguja positiva sigue ahí. Lo mismo ocurre con nuestros pensamientos negativos.

Al igual que los científicos llevan mucho tiempo investigando cómo está conectado el cerebro y por qué somos propensos a la negatividad, también están buscando formas probadas de superar los patrones de pensamiento negativo e incluso de romper el ciclo del sesgo negativo. Es posible que ya hayas probado antes algunos de estos métodos y, naturalmente, pienses que si no funcionaron antes, no funcionarán ahora.

No todos los métodos funcionan para todo el mundo, por eso vamos a repasar 7 pasos sencillos, pero cada paso tendrá varias estrategias para adaptarse a diferentes personalidades. Incluso si ya has probado estrategias antes, inténtalo de nuevo con la mente abierta. Puede ser que la primera vez no estuvieras mentalmente preparado, o que no hubieras entendido bien la raíz de tu pensamiento negativo.

Ahora que tenemos un conocimiento sólido de la negatividad y la rumiación, y que nuestros cerebros están conectados de esta manera en particular, podemos empezar a analizar diferentes patrones de pensamiento y definir claramente de dónde procede nuestro pensamiento negativo. ¡Es posible que quieras tener papel y bolígrafo a mano para el próximo capítulo!

PASO 2: INSPECCIONA TUS PATRONES DE PENSAMIENTO CON 3 HERRAMIENTAS FÁCILES DE UTILIZAR

El hecho de que ahora entendamos cómo está conectado el cerebro no significa que podamos evitar que los pensamientos negativos se apoderen de nosotros.

Mientras que el primer capítulo era más una comprensión de por qué no debemos castigarnos por nuestra forma de ser, este capítulo profundiza en el reconocimiento de nuestros patrones de pensamiento, para que sea más fácil prevenir la rumiación con las estrategias del capítulo siguiente.

Las características del pensamiento negativo y la identificación de los problemas

Ayuda a comprender las dos mentalidades principales que suelen tener las personas. Una mentalidad sana es una mentalidad de crecimiento. Es aquella en la que creemos que nuestras capacidades e inteligencia pueden desarrollarse con el tiempo. Una mentalidad fija es aquella en la que creemos que nunca dominaremos una nueva habilidad o que no somos lo suficientemente buenos para conseguir algo.

Por desgracia, con el pensamiento negativo, a menudo nos quedamos atrapados en una mentalidad fija en la que sentimos que eso nunca va a cambiar. Uno de los primeros ejercicios que veremos en el próximo capítulo es cómo desarrollar una mentalidad de crecimiento para que realmente creas que puedes cambiar tu forma de pensar.

Podemos dividir nuestro pensamiento negativo en 5 categorías principales

- Pensamientos automáticos son aquellos que simplemente aparecen, e incluso puede sentirse que salen de la nada.

- Los pensamientos negativos distorsionados no se basan en pruebas ni en hechos y suelen ser erróneos.

- Los pensamientos negativos verosímiles provienen de hechos, o al menos, de las cosas que percibes como verdaderas.

- Si te das cuenta de que tienes pensamientos negativos que no te ayudan, puede que descubras que influyen en tu comportamiento. Como vimos que la toma de decisiones se ve afectada por nuestra negatividad, esta categoría puede ser peligrosa porque hacemos cosas que no nos conducen hacia nuestros objetivos.

- Finalmente, los pensamientos negativos intrusivos son normalmente atemorizantes, violentos, o el peor escenario de todo. Este tipo de pensamiento puede llevar a la ansiedad y a los ataques de pánico ya que son extremadamente difíciles de detener

Además, hay 12 patrones de pensamiento negativo que podemos identificar:

1. Todo o nada: como ya hemos dicho, este es nuestro pensamiento en blanco y negro. Tus amigos te quieren o te odian, vas a sobresalir en tu presentación o la vas a suspender completamente.

2. Generalización excesiva: se trata de un patrón de pensamiento fijo. Puede que hayas tenido una experiencia negativa y veas esto como una señal de que todo va a salir igual. Tuviste una mala cita, así que no tiene sentido ir a más porque todas serán malas.

3. El filtro mental: como un colador, tu mente deja pasar todos los elementos positivos y solo capta los negativos. Nos pasa con las críticas constructivas; aunque haya comentarios buenos, son los negativos los que se quedan.

4. Rechazar lo positivo: puede que te hayas dicho a ti mismo cosas positivas pero las hayas descartado por irrelevantes. Has perdido un kilo, pero no cuenta porque te saltaste la cena la noche anterior.

5. Hacer suposiciones: esto puede parecer paranoia o miedo irracional, a pesar de sentirlo muy real. Un ejemplo común es nuestra salud. Si una comida no nos sabe igual, podemos suponer que nos contagiamos de coronavirus, a pesar de no tener ningún otro síntoma. Estos patrones entran en la categoría de pensamiento distorsionado.

6. Clarividencia: Leemos erróneamente la mente de los demás, pero sus pensamientos siempre van a ser negativos hacia nosotros. La gente piensa que somos estúpidos, que tenemos sobrepeso, que somos raros, etc.

7. Adivinación: No necesitas una bola de cristal porque sabes lo que te depara el futuro. Pero estas predicciones no se basan en hechos, sino en pensamientos negativos. No le vas a gustar a nadie en clase de yoga, así que no tiene sentido ir. No vas a conseguir el ascenso, así que es una tontería proponer tu nombre.

8. Exagerar: Las negatividades se magnifican. Puede que hayas cometido un error y lo hagas pasar por más de lo que realmente es, pero también puede ocurrir al ver los éxitos de los demás. Aquí hay que tener cuidado con las redes sociales porque es fácil exagerar los logros o la felicidad de los demás por una foto.

9. Minimizar: de forma similar a descontar lo positivo, podemos ver nuestros éxitos y no celebrarlos por lo que realmente son. Por ejemplo, puedes pagar todas tus deudas, pero en lugar de ver esto como algo grandioso, te enfocas en el hecho de que no tienes ahorros, o estás enojado porque te metiste en deudas en primer lugar.

10. Ser perfeccionista: esperar que todo salga bien todo el tiempo es humanamente imposible. Somos seres imperfectos y cometemos errores. Establecer metas poco realistas puede conducir a la ira y la frustración, y se suma a la mentalidad fija de que no puedes hacer algo.

11. Culparte a ti mismo: en realidad, solo puedes ser duro contigo mismo por las cosas de las que eres responsable. Cuando las cosas van mal y no son tu culpa o están fuera de tu control, lo único que puedes hacer es ser responsable de tus emociones; no puedes culparte por estas situaciones.

12. Etiquetas negativas: Ya sea por errores o por intentar ser perfecto, te etiquetas como débil, malo e irresponsable, y te dices a ti mismo que te mereces las cosas por las que estás pasando.

No puedo enfatizar lo suficiente que si estás atascado en un lugar donde ocurre este tipo de pensamiento, no es tu culpa. Ya hemos visto que nuestro cerebro prefiere mirar el lado negativo de las cosas. Sin embargo, hay otra razón por la que nos resulta más difícil cambiar nuestra perspectiva para poder ver el panorama completo.

Los modelos mentales desempeñan un papel importante en nuestra forma de ver el mundo y las decisiones que tomamos se basan en ellos. Si nuestros modelos mentales son limitados, podemos acabar atrapados en esta visión de túnel de negatividad.

Modelos mentales

Tratar de entender el mundo implica muchas complejidades. Para ayudarnos a comprender aspectos de la vida, las conexiones entre acontecimientos y emociones, y las oportunidades que tenemos, existen los modelos mentales.

Los modelos mentales nos ayudan a ordenar secciones de información para que la realidad sea más clara. Muchos de nosotros nos damos cuenta de que la falta de claridad es lo que hace que, incluso las elecciones más sencillas, sean un reto. Con una comprensión más clara y realista de lo que ocurre en nuestras vidas, somos más capaces de tomar las decisiones correctas.

Los modelos mentales son como piezas de Lego. No se puede hacer mucho con solo un par de piezas. Tienes más ventaja cuando tienes más piezas.

Tomemos como ejemplo el entorno escolar. El gobierno establece objetivos sin entrar en el aula, y luego el profesor intenta aplicar el aprendizaje de forma divertida mientras cumple las normas del gobierno. Los alumnos se pierden en exámenes estandarizados y estrategias de aprendizaje ineficaces, y los padres se sienten frustrados por las notas y los deberes.

Cada persona tiene su modelo mental para ver la situación, pero la persona que es capaz de ver todos los modelos mentales es la que puede aportar las mejores soluciones.

Hay cientos de modelos mentales, desde la aritmética, hasta la naturaleza humana. Esto nos ayuda a conocer algunos de los modelos mentales de los conceptos básicos del pensamiento.

Para mejorar tu capacidad de toma de decisiones, te conviene intentar adoptar el mayor número posible de estos modelos mentales.

1. El mapa de tu realidad

Ningún mapa es perfecto. Cuando observes tu realidad, es importante que sepas que el mapa que has creado no va a ser perfecto. Los mapas son reducciones de territorios y están sujetos a cambios.

Puede tratarse de cambios significativos que alteren la realidad por completo o de pequeños cambios que supongan un contratiempo. En cualquier caso, el mapa no es fijo y puede quedar obsoleto.

2. Razonar a partir de los primeros principios

Cuando se trata de resolver problemas, es fácil perderse en todos los factores de ese problema. Dentro de cada problema, encontrarás hechos, ideas y suposiciones. Si puedes separar cada capa de estos factores, te quedarás sólo con la información que es verdadera y relevante. Volviendo al primer principio de cualquier problema, puedes descubrir soluciones basadas en información precisa.

3. Experimentos mentales

Podemos utilizar nuestra imaginación para explorar y experimentar con todo lo que se puede conocer. Uno de los experimentos mentales más famosos fue el de las bolas de Galileo. En realidad, no lanzó bolas desde la Torre Inclinada de Pisa para comprender la gravedad y la aceleración. Creó un proceso de pensamiento que le permitió explorar hipótesis. Utilizar experimentos mentales te permite plantear hipótesis sobre situaciones, aprender de los errores y evaluar las consecuencias para evitar otros errores en el futuro.

4. Pensamientos de primer orden versus pensamientos de segundo orden

Si se me cae una taza, se romperá. Esta es la consecuencia inmediata o de primer orden. Pero, ¿qué ocurre más adelante? ¿Cuáles son los resultados posteriores de mis acciones? Esa taza fue un regalo de mi abuela, un recuerdo que no puedo recuperar. El resto de mis tazas no son lo bastante grandes para darme el subidón de cafeína que necesito. Este es un ejemplo muy simplificado. Sin embargo, si te entrenas para pensar más allá del resultado inmediato, puedes planificar con más eficacia.

5. Probabilidad

La probabilidad utiliza la ciencia y los números para comprender el resultado probable de algo. Es un modelo mental increíble para los pensadores negativos porque proporciona una lógica innegable. Imagina que lees un titular que dice que los robos se han duplicado en Washington D.C. El pensamiento inmediato es que Washington no es seguro y no quieres ir allí. Si te fijas, la probabilidad de sufrir un robo es del 0,11% (FBI UCR, 2019). Si el titular fuera cierto, la probabilidad de que te roben sigue siendo solo del 0,22%. Nuestras decisiones son mucho más acertadas cuando encontramos números que respaldan nuestras creencias.

6. Inversión

La inversión es una técnica mediante la cual invertimos nuestros problemas y pensamos hacia atrás en lugar de hacia delante. Normalmente, nos enfrentaríamos a un problema desde el punto de partida, pero si empezamos por el final, podemos ver qué obstáculos pueden surgir y eliminarlos antes de que se produzcan.

7. La navaja de Occam

La navaja de Occam simplemente afirma que si tienes dos teorías y los resultados son los mismos, siempre es mejor elegir la teoría más simple. Esto no quiere decir que la respuesta más sencilla sea la correcta. En algunos casos, es necesario el pensamiento crítico, más aún en las aplicaciones científicas. Si volvemos a la salud y te duele la cabeza, la explicación más sencilla es la deshidratación y no un tumor cerebral.

8. La navaja de Hanlon

En nuestras mentes negativas, es fácil suponer lo peor y esto a menudo fomenta la paranoia. La navaja de Hanlon afirma que no debemos asumir que un acto es malvado o poco amable cuando podría tratarse de una estupidez. Si un compañero se olvida de reconocer tus esfuerzos, puede que no esté intentando pisotearte, sino que no haya sido lo bastante inteligente o empático como para pensar en cómo te sentirías.

Una vez más, al igual que la navaja de Occam, no siempre es el caso, ya que hay un montón de personas tóxicas para obtener ventajas, pero podemos utilizar este modelo para disminuir el dolor de algunos de nuestros pensamientos negativos y dar a la gente el beneficio de la duda.

9. Tu círculo de competencia

Puede que haya algo en lo que te veas como un experto, habrá un gran número de cosas en las que eres bueno (aunque ahora te cueste enumerarlas) y hay otras de las que tienes poco o ningún conocimiento. Si tu mentalidad es fija, no serás capaz de ver que hay áreas en las que tienes carencias, pero puedes aprender y mejorar. A veces, necesitamos aprender más antes de poder tomar una decisión acertada.

Estos son 9 de los modelos mentales más eficaces que pueden ser beneficiosos para combatir los patrones de pensamiento negativos. No intentes dominarlos todos a la vez porque demasiados cambios radicales serán difíciles de mantener. El truco consiste siempre en tomar una estrategia o técnica, practicarla y dominarla, y luego añadir otras.

Tres herramientas intuitivas para probarte a ti mismo

Para ponerte a prueba con los patrones de pensamiento negativo, primero tienes que recordar que se trata de un proceso automático sobre el que no tienes ningún control. Cuando algo aparece en tu mente, es lo que es. Puedes repetir el pensamiento e intentar verlo desde una perspectiva más positiva, puedes infravalorar su importancia o sobrevalorarla; esto viene a menudo con la rumiación luego del pensamiento inicial.

Para definir claramente si tienes un problema de pensamiento negativo, debes ser increíblemente honesto sobre tus pensamientos negativos.

Por ejemplo, si abres tu cuenta bancaria y solo hay 100 dólares, ¿cuál es tu primera reacción visceral?

Hay grados de negatividad, como un espectro. Cuanto más honestamente respondas las preguntas, más claridad obtendrás para comprender el alcance de tu negatividad.

Herramienta intuitiva Nº1

Una herramienta bonita y sencilla para empezar es la lista de 12 características de patrones negativos que vimos anteriormente en este capítulo. Toma papel y bolígrafo y copia las siguientes viñetas:

- Todo o nada
- Generalización excesiva
- El filtro mental
- Rechazar lo positivo

- Hacer suposiciones
- Clarividencia
- Adivinación
- Exageración
- Minimización
- Ser perfeccionista
- Culparte a ti mismo
- Etiquetas negativas

Observa si puedes asociar tu pensamiento negativo con cada uno de los anteriores; da ejemplos reales basados en recuerdos precisos de las situaciones. Si llevas un diario, es una buena idea volver atrás y mirar las cosas que escribiste en lugar de confiar solo en la memoria. Si no se te ocurre ningún ejemplo, déjalo en blanco.

Si puedes identificarte con tres o más de las características del patrón negativo, debes tomar medidas proactivas para realizar cambios. Cuantas más sean, más profundo será el problema.

Si solo te identificas con una o dos, eso no quiere decir que no tengas tendencias negativas, y aún puedes poner en práctica nuestras técnicas para experimentar una vida más alegre.

Herramienta intuitiva Nº2

Debido al pensamiento automático, nuestra negatividad a veces está oculta. La cubrimos, la enterramos, solo la dejamos salir en momentos adecuados o simplemente fingimos que no está ahí. Las siguientes 20 afirmaciones se pueden clasificar como nunca, a veces y siempre.

1. El cambio me pone nervioso y prefiero que las cosas sigan como están.

2. Tomaré el relevo cuando otras personas intenten hacer cosas porque puedo hacerlo mejor.

3. Necesito un plan antes de hacer algo.

4. Cuando hago un plan, necesito seguir cada paso.

5. Creo firmemente que todo saldrá según mi plan.

6. Tiene que haber una razón lógica para que yo haga algo.

7. Utilizo muchas contracciones negativas como *no puedo*, *no lo haré* y *no lo haría*.

8. A menudo dudo de mis propias capacidades.

9. Paso mucho tiempo intentando tomar una decisión.

10. Digo cosas pero no las cumplo.

11. Experimento muchas emociones negativas como ira, celos y tristeza.

12. El futuro es incierto y preocupante.

13. Cuando considero el presente, a menudo me veo influido por mis errores del pasado.

14. Siento la necesidad de tener siempre la razón.

15. Debido a mi necesidad de tener razón, solo confío en mí mismo.

16. Me cuesta creer en lo que dicen los demás.

17. No puedo confiar completamente en nadie, ni siquiera en mí mismo.

18. No soy feliz si no alcanzo mis objetivos.

19. Hago juicios de los demás basándome en mis estándares.

20. Soy testarudo cuando se trata de conseguir lo que quiero.

Cada pregunta tiene un significado más profundo que va más allá de lo positivo y lo negativo. Pero antes de ver estos significados, comprueba dos veces que has respondido honestamente a cada pregunta.

1. El miedo al cambio te mantiene en una mentalidad fija. No puedes evitar que hayan cambios y es mejor adoptar una actitud flexible, en vez de luchar con lo inevitable.

2. Intentar controlarlo todo es agotador tanto física como mentalmente. Tenemos que aprender a ceder el control a los demás, aceptar que algunas cosas no se pueden controlar y centrarnos en lo que sí podemos controlar para alcanzar nuestros objetivos.

3. Tener un plan es algo bueno, pero hay un problema cuando tienes que planificar y racionalizar todo lo que haces. Nos impide disfrutar del momento y a menudo puede llevarnos al fracaso cuando nuestros planes dependen de otros.

4. De nuevo, hasta cierto punto, esto es bueno, pero solo cuando no se lleva al extremo. Si te obsesionas con los pasos de tus planes, tal vez tus objetivos son muy rígidos y no

haya margen para adaptaciones. Nuevamente, no todo está bajo tu control.

5. Si nuestro plan es defectuoso (lo cual es muy posible si nuestro pensamiento es predominantemente negativo), nos vamos a sentir muy decepcionados si las cosas no salen como queremos. Seguimos centrándonos demasiado en los resultados en lugar de disfrutar del proceso y vivir el momento.

6. Un poco de lógica es sensato, pero si llegamos al extremo de no hacer algo porque no es 100 % lógico, empezamos a ignorar nuestra propia intuición y podemos perdernos experiencias increíbles.

7. Las palabras negativas te mantienen en un estado de ánimo negativo. Programan tu cerebro en una forma de pensar, y se convierte en una lucha para ver otra cosa que no sea lo que las palabras te están diciendo.

8. Lo mismo que las palabras negativas. Nublan nuestra realidad y dificultan ver las cosas de otra manera.

9. La indecisión retrasa el cambio y a menudo es una cortina de humo para posponer algo que tienes miedo de hacer o intentar. La indecisión también demuestra que no confías en tus instintos.

10. Cuando no somos capaces de cumplir lo que decimos, no estamos asumiendo nuestra responsabilidad. No es tan sencillo como hacer una promesa y no cumplirla. Es probable que dudes de tu capacidad para cumplir y temas defraudar a los demás.

11. Hay que procesar y dejar ir los sentimientos y emociones negativos. A menudo es un apego al pasado y la incapacidad de perdonar a los demás por sus errores.

12. Es más fácil decir que hacer, pero no tiene sentido preocuparse por el futuro. Roba energía a tu presente y, con todas las variables potenciales, no podemos hacer predicciones exactas.

13. Del mismo modo, preocuparnos por el pasado no nos va a dar la oportunidad de hacer las cosas bien. Todo lo que sucedió en el pasado te proporcionó una experiencia de aprendizaje. Toma lo bueno y no dejes que el pasado bloquee tu pensamiento positivo.

14. Una necesidad obsesiva de tener razón a menudo se asocia con un ego inflado. En nuestro caso, es más probable que provenga del deseo de control.

15. Solo confiar en ti mismo conduce a una vida muy cerrada. Es una forma de protegerte, pero en realidad, todavía tratas de controlar áreas de tu vida que disfrutarías más si fueras menos rígido.

16. Una pequeña dosis de dudas puede convertirse en pensamientos negativos más fuertes. Es difícil confiar en lo que dicen los demás, especialmente con la cantidad de noticias falsas a las que estamos expuestos. Sin embargo, tenemos que buscar formas de creer lo que nuestro instinto nos dice para poder creer lo que otros nos dicen.

17. La mayoría de las veces estamos dolidos por experiencias anteriores y esto hace que no confiemos en los demás. Si hay personas en tu vida que constantemente te dan razones para no confiar en ellas debes tratar de

distanciarte de ellas, al menos por ahora. No poder confiar en ti mismo a menudo se debe a que te enfocas en tus errores pasados.

18. Tener metas realistas es importante para nuestra motivación, pero no puede ser lo único que nos haga felices. Asegúrate de tener una definición clara de lo que te da felicidad y de lo que deseas lograr.

19. Juzgar a las personas es muy peligroso, ya que nunca sabemos realmente lo que está sucediendo en la vida de los demás. Las personas tienen sus propias dificultades y pensamientos negativos. Mantente fiel a tus propios estándares y deja que los demás establezcan los suyos.

20. Esfuérzate siempre por conseguir lo que quieres. No te hace egoísta, siempre y cuando no lastimes a otros en el proceso. Solo recuerda que no puedes ser demasiado rígido con tus objetivos. Es más importante que progreses en lugar de estar tan decidido que acabes perdiendo de vista el panorama general.

Herramienta intuitiva Nº3

Siempre es importante ver las cosas desde una perspectiva diferente. Por esta razón, veremos tus niveles de positividad. Así, puedes ver las cosas con una comprensión más completa de los niveles de perspectiva. Después de todo, como nada es solo blanco o negro, puedes usar este ejercicio para crear una base para tu positividad y crecer en ella.

Para las siguientes preguntas, responde con un número del 1 al 5: 1 es nunca, 2 rara vez, 3 a veces, 4 generalmente, 5 siempre o casi siempre.

1. Si sucede algo que te haga cambiar de plan, buscas algo positivo en la nueva situación.

2. Te gustan, o al menos te llevas bien, con la mayoría de las personas que tratas o con las que entras en contacto.

3. Piensas que el año que viene será mejor que este.

4. Puedes tomarte un momento para mirar a tu alrededor y ver lo bello del mundo.

5. Puedes notar la diferencia entre alguien que te da retroalimentación y alguien que simplemente se queja de ti o de tus acciones.

6. Dices más cosas bonitas que malas sobre tus amigos y familiares.

7. Crees que la raza humana hará los cambios necesarios para cuidar el planeta.

8. Te decepcionas cuando alguien te decepciona o falta a su palabra.

9. En general, sientes que eres feliz.

10. Te sientes cómodo siendo el tema de tus propios chistes.

11. Tu estado de ánimo afecta tu salud física.

12. Al enumerar a tus personas favoritas, tú eres una de ellas.

13. En los últimos meses, has tenido más éxitos que reveses.

Las puntuaciones superiores a 50 son excelentes, pero incluso de 45 a 50 todavía experimentas algunos momentos de pensamiento positivo. Una vez que comiences a mirar los números por debajo de 45, descubrirás que tu negatividad está dominando cualquier pensamiento positivo que puedas tener. Es muy probable que esta sea la puntuación con la que termines, pero eso es lo que esperaríamos en esta etapa. El objetivo en este momento es la autoconciencia y esta lista de 13 afirmaciones puede darte algunas ideas de pensamiento positivo al que aspiras.

¿Cómo sé si mi pensamiento negativo ha ido más allá de un problema?

La tolerancia a los pensamientos negativos variará. Algunas personas experimentan el pensamiento negativo como algo que les pesa mucho, pero aún así son capaces de continuar con las tareas cotidianas.

Cuando la negatividad comienza a afectar la capacidad de pasar el día, esto podría ser un signo de problemas de salud mental más graves. Esto podría incluir el aislamiento social, el aumento del estrés, el trastorno de ansiedad generalizada, la depresión e incluso pensamientos de autoeliminación, así como trastornos obsesivo-compulsivos.

También hay síntomas físicos que pueden presentarse como resultado de pensamientos negativos continuos, tales como:

- Dolores de cabeza
- Dolor en el pecho
- Fatiga
- Problemas para dormir
- Malestar estomacal
- Cambios severos del metabolismo

Si experimentas alguno de estos síntomas emocionales o físicos, debes consultar a tu médico, pues podría recomendarte una terapia. Si tienes reserva acerca de ver a un médico de cabecera, puedes ponerse en contacto con líneas de apoyo confidenciales como Supportline o Helpguide.

Las técnicas que veremos en el próximo capítulo están respaldadas por la ciencia o son utilizadas por terapeutas, así que puedes aplicarlas y sacar provecho de ellas; pero cuando el problema está tan profundamente arraigado, puede ayudar hablar con alguien más.

PASO 3: BORRA TUS PENSAMIENTOS NEGATIVOS UTILIZANDO 10 PODEROSAS TÉCNICAS

Ahora que hemos cubierto las dos primeras letras de L. I. B. E. R. T. Y., leímos y aprendimos cómo funciona nuestro cerebro e inspeccionamos patrones de pensamiento, estamos listos para comenzar a buscar varias técnicas para diferentes conjuntos de problemas y áreas de nuestras vidas.

Cuando hablamos de los 7 pasos para superar la negatividad, esta etapa se llama botar el pensamiento negativo.

Cambiar la mentalidad fija a una mentalidad de crecimiento

Lo más peligroso de una mentalidad fija es que nos impide probar cosas nuevas. La gente se convence a sí misma de que no va a ser capaz de hacerlo o de que va a fracasar pase lo que pase.

Los errores son una parte natural de la vida y, aunque no queramos cometerlos más, no podemos darnos el lujo de estar tan nerviosos por ellos que nos quedemos atascados en la vida. Cuando cometas errores, separa las emociones de los hechos, luego aprende de los hechos.

Por ejemplo, fui estúpido al comprar ese coche de segunda mano sin llevarlo a un mecánico para que revisara el motor. La emoción es que te sientes estúpido. No hay evidencia de esto.

Alguien más te ha vendido un automóvil sin revelar toda la información. El hecho es que al comprar autos de segunda mano, es aconsejable que lo revise alguien que conozca sobre automóviles. La próxima vez que te encuentres en la misma situación, sabrás qué hacer.

Ya sea que cometas un error o algo que veas como un fracaso, úsalo a tu favor. Una vez que practiques modelos mentales como el pensamiento de segundo orden, mejorarás en el análisis de los resultados y harás un plan que evitará los mismos errores. Acepta que esto puede llevar a un revés en tu panorama general, pero la cantidad de contratiempo dependerá de tu actitud.

Para reducir las posibilidades de contratiempos, puedes utilizar la regla de Ricitos de Oro. La Regla de Ricitos de Oro establece que hay un nivel de dificultad y desafío que es adecuado para cada persona y fomentará niveles óptimos de motivación.

Según cuenta la historia de Ricitos de Oro, un plato de avena estaba demasiado caliente, el otro demasiado frío y el último estaba perfecto. Divide todas tus tareas para que sean difíciles para ti, pero no imposibles. Cada vez que logres alcanzar algo que sea adecuado para ti, tus habilidades mejorarán y también lo hará tu confianza.

Un truco increíblemente simple para ajustar tu mentalidad es agregar la palabra "todavía" al final de tus oraciones de mentalidad fija. Una mentalidad fija diría: "No puedo hacerlo". Una mentalidad de crecimiento diría: "Todavía no puedo hacerlo". Es una palabra pequeña pero poderosa que te recuerda que, aunque no estés donde quieres estar, estás trabajando para lograrlo. Otro ejemplo es si no puedes ver la solución a un problema, simplemente no puedes ver la solución, todavía.

Cuidado con las dos mentalidades que a menudo pueden llevarnos a problemas. La primera es la falsa mentalidad de crecimiento. Esto es cuando crees que tienes una mentalidad de crecimiento, pero en realidad, todavía está fija. No decides cambiar repentinamente la forma en que te ves a ti mismo, lleva tiempo. Todo el mundo tiene momentos de mentalidad fija y de crecimiento, incluso los más positivos.

Mientras aprendes y exploras tu mentalidad, concéntrate en qué provoca tu mentalidad fija. Esto nos lleva al segundo problema de una mentalidad fija no reconocida que puede ocurrir cuando tu subconsciente te dice que no eres capaz de hacer algo. Durante la adolescencia, estamos predominantemente en una mentalidad fija ya que, a esta edad, carecemos de la confianza para apreciar nuestras capacidades. A veces, a medida que crecemos, esta mentalidad adolescente aparece y trata de influir en nuestra forma actual de pensar.

El crecimiento y las mentalidad fija están en un tira y afloja. Lo fijo está controlado por el miedo y te empuja hacia la seguridad. La mentalidad de crecimiento quiere sacarte de tu zona de confort y, por supuesto, esto da miedo. Define de dónde vienen tus miedos.

A menudo, nuestros miedos proceden de experiencias pasadas y, si bien pueden justificarse, vale la pena recordar que ahora eres una persona diferente. Has aprendido más sobre ti y estás más preparado, lo que reduce la probabilidad de que sea el mismo resultado.

En 1998, los estudios descubrieron la neuroplasticidad, y confirmaron que los cerebros de los adultos son capaces de desarrollar nuevas células cerebrales (Cohen et al., 1998). Además, a través de acciones repetidas, las sinapsis en el cerebro se fortalecen, y ayudan a que los nuevos conocimientos formen parte de nuestra memoria a largo plazo. La ciencia dice que podemos aumentar nuestras habilidades y conocimientos, ahora se trata de creer en ti.

Ponerlo en práctica

Para comenzar el proceso de desarrollo de una mentalidad de crecimiento, aquí hay una lista de preguntas que puedes hacerte:

- ¿Qué puedo aprender de esta experiencia?
- ¿Qué aprendí hoy? (Que aprender algo nuevo cada día sea un objetivo).
- ¿Dónde puedo obtener más información?
- ¿Dónde puedo obtener *feedback* honesto y confiable?
- ¿Cuál es el plan para lograr mi objetivo?
- ¿Qué pasos debo tomar para alcanzar mi objetivo?
- ¿Me he esforzado lo suficiente?

- ¿Qué puedo aprender de los errores cometidos?
- ¿Qué hábito, habilidad o conocimiento necesito para seguir mi plan?

Romper el ciclo del sesgo de negatividad

Recapitulemos sobre el sesgo de negatividad: nuestro cerebro está cableado para ser negativo. Los recuerdos negativos son más fuertes que los positivos, por eso somos mejores recordando lo malo sobre lo bueno. Aunque nuestros cerebros estén conectados de esta manera, como vimos en la sección anterior, podemos cambiar esto.

Lo primero que tienes que hacer es decidir si la amenaza/peligro/causa de tu sesgo de negatividad es real. Como dijo el Dalai Lama, si la amenaza no es real, no tiene sentido que nos preocupemos y podemos pasar a estrategias que superen el pensamiento negativo. Por ahora, veamos 4 maneras en que podemos romper nuestro sesgo de negatividad.

1. Mira la película Intensa-Mente

Sí, es una película dirigida a los niños, pero Pixar hizo un trabajo increíble explicando cómo funciona nuestra memoria. Sigue a una adolescente y 5 personajes que representan sus emociones: Alegría, Miedo, Tristeza, Furia y Asco.

Estas emociones se encargan de procesar y almacenar recuerdos. La escena más significativa para nosotros es cuando Tristeza va a tocar un recuerdo que está relacionado con Alegría. A pesar de los esfuerzos de Alegría, Tristeza afecta a la memoria.

Naturalmente, Pixar ha tomado alguna licencia creativa con la ciencia, pero el mensaje es cierto: no podemos confiar en nuestros recuerdos ya que nuestro sesgo de negatividad nos hace verlos de una manera diferente a lo que realmente sucedió.

Cuando te sientas rumiando sobre el pasado, detente inmediatamente y encuentra los hechos. Si llevas un diario, usa esto sobre tu memoria. Si hay otras personas involucradas, pregúntales.

2. Comprende que el sesgo optimista no es un objetivo

Algunas personas han crecido en una familia increíblemente feliz, han visto muy poca dificultad y sufrimiento, y han logrado todo lo que se han propuesto hacer. Suena increíble, ¿verdad? No necesariamente.

Aquellos que tienen un sesgo optimista toman mayores riesgos sin siempre pensar en las consecuencias. No tienen miedo al fracaso, y es posible que ni siquiera vean los aspectos negativos que tienen delante.

El objetivo no es reemplazar un extremo con el otro y no es deshacerse por completo de nuestro pensamiento negativo. En algunos casos, nuestros pensamientos negativos pueden estar tratando de decirnos algo. Tenemos que aprender a escucharlo, encontrar y analizar los hechos, y luego decidir si está justificado.

3. Investiga los errores de tu ídolo

Nuestros ídolos son famosos por una razón, han logrado sus metas y tienen éxito. Vemos a estas personas con admiración y nos decimos que no somos capaces de hacer lo mismo. Pero cada persona que ha tenido éxito ha pasado por sus luchas.

Para mí, es el coronel Sanders, el fundador de KFC. Se podría suponer que se le ocurrió una receta de pollo, abrió un restaurante, luego una cadena y se hizo rico. ¡Su vida es inspiradora!

- Su padre murió cuando tenía 5 años.

- A los 13, abandonó la escuela, se fue de casa para trabajar en una granja.

- Su hijo murió a la edad de 20 años.

- Sanders inició varios negocios que fracasaron.

- Su cafetería, donde comenzó a vender pollo en 1939, se quemó.

- En 1956 estaba desempleado y sobrevivía con una renta de U$S 105 mensuales de la seguridad social.

- Comenzó a enseñar a los restaurantes su receta secreta, ganando 5 por cada pollo que vendían.

- 7 años más tarde, a la edad de 66, tenía 600 ubicaciones de KFC y un año después, vendió la franquicia por $ 2 millones.

"Haz todo lo que puedas, y haz lo mejor que puedas".

— *CORONEL SANDERS*

Cada vez que Sanders tenía que cerrar un negocio, había alguien pensando o incluso diciéndole que era estúpido, loco y que carecía de lo necesario. A pesar de esto, siguió adelante.

La gente idealiza las vidas de sus héroes, olvidando que hay un lado entero de sus vidas del que no sabemos. Al mirar a tu ídolo y apreciar lo que hicieron para llegar a donde están, los sacas del pedestal y puedes verlos a tu lado, como una persona normal.

4. ¿Está tu cuerpo colaborando con tu sesgo de negatividad?

Tres áreas a las que debemos prestar atención: el hambre, el cansancio y el alcohol. Cuando se enfrenta a un problema, no se sentirá de la misma manera si tiene hambre en comparación con el bien alimentado.

Cuando tenemos hambre, los niveles de azúcar en la sangre disminuyen y podemos enojarnos, luchar para concentrarnos y sentirnos cansados. Nuestra coordinación sufre, por lo que es más probable que caigamos o rompamos cosas y cometamos errores, todo lo cual alimentará el sesgo de negatividad.

Cuando estamos cansados, es más difícil concentrarse, y nuestros cerebros no serán capaces de comprometer los modelos mentales que necesitamos desesperadamente.

A pesar de cómo pensamos que nos sentimos después de unas cervezas o copas de vino, el alcohol distorsiona la realidad y hace que sea más difícil recordar las cosas con precisión.

Si la negatividad surge cuando nuestros cuerpos no están en la mejor condición, nuestras mentes no podrán funcionar de una manera neutral o positiva.

Antes de actuar sobre tus pensamientos negativos, decide si este es el momento adecuado para tomar medidas, o si debes comer, descansar, etc. antes.

Ponerlo en práctica:

La próxima vez que te sientas en una situación donde tu mente o cuerpo te dice que debes entrar en pánico, pero se trata tan solo de tu sesgo de negatividad (has evaluado que la amenaza no es real), tómate un par de minutos para escuchar tus emociones.

Me gusta imaginar esto como la película Intensa-Mente, donde cada una de mis emociones es un personaje. Imagina que estás viendo una película sobre tus emociones justificando y explicando su razonamiento.

Después de darle tiempo a tus emociones para que se procesen, mira la situación y encuentra una cosa positiva. No tiene que ser algo enorme, o que te cambie la vida.

Digamos que olvidaste comprar pan, es muy molesto porque ahora vas a tener que salir de nuevo o cambiar tus planes de comidas. Pero hay algo positivo, ¿por qué no parar en una tienda diferente y ver si hay nuevos alimentos que se pueden probar?

Pequeños cambios que puedes hacer en casa para empezar a sentirte más positivo

Nuestro hogar puede ser nuestro santuario: ese espacio privado donde puedas cerrar la puerta luego de un largo día, relajarte y empezar a sentirte mejor contigo mismo. Quizá puedas cerrar la puerta a ciertas cosas, pero tu negatividad se te adherirá.

La mayoría de las estrategias que estamos viendo se centran en cambios en la mente y las percepciones. Nuestra casa puede jugar un papel importante en cómo nos sentimos, así que aquí hay 6 maneras de hacer tu casa más positiva según los científicos.

- Deja entrar tanta luz natural como sea posible. La luz natural proviene del sol, nuestra fuente favorita de vitamina D. El cuerpo produce más vitamina D cuando se expone al sol. La vitamina D puede reducir las posibilidades de contraer la gripe (American Journal of Clinical Nutrition, 2010). Puede reducir los síntomas de ansiedad y depresión y reducir el riesgo de enfermedades cardíacas (Circulation, 2008).

- Tener una buena limpieza, donar, reciclar y vender lo que no necesitas. El desorden en el hogar puede aumentar el estrés. No sientas que tienes que hacer todo de una sola vez, solo haz que sea una misión hacerlo poco a poco.

- Compra una planta. Las plantas traen un sentido de la naturaleza a tu hogar. El color verde es conocido por tener efectos calmantes, pero las plantas pueden hacer más que ayudar a relajarte. Mejoran la calidad del aire, reduciendo el CO_2 y aumentan el nivel de oxígeno, lo que aumenta la concentración y la productividad. Curiosamente, desde 2019, algunos médicos en el Reino Unido han recetado plantas domésticas a pacientes con ansiedad, depresión o soledad (Manchester City Council, 2019).

• Pinta tu casa. Una vez más, no todo tiene que hacerse a la vez, pero piensa en comenzar en el espacio principal donde pasas la mayor parte de tu tiempo. Para aquellos que no se sienten cómodos reinventándose, refrescar las paredes es una gran manera de comenzar un cambio de imagen y no tiene que costar mucho. Puedes maravillarte con tus esfuerzos, especialmente si nunca has pintado una habitación antes.

• Añade color con arte y decoraciones. Se ha demostrado que ciertos colores mejoran el estado de ánimo de las personas y, a menudo, sin que se den cuenta, ya que cada color tiene una longitud de onda específica y una energía particular.

Los colores cálidos, como el amarillo y el naranja, levantan el ánimo. El azul también puede tener un excelente impacto en tu estado de ánimo, al contrario de la expresión "sensación azul". Cuando se instalaron luces azules en 71 estaciones de tren japonesas, hubo una disminución del 84 % en los suicidios de personas que saltaban frente a los trenes (Matsubayashi et al., 2012).

Asegúrate de elegir los tonos más cálidos de los colores. Por ejemplo, el azul oscuro puede tener una sensación pesada y deprimente. Los tonos más cálidos de naranja pueden ayudarte a sentirte positivo, mientras que el naranja brillante provoca emoción, lo que podría hacer que sea difícil relajarse.

• Experimenta con aceites esenciales. 12 estudios publicados por el Centro Nacional de Información Biotecnológica en 2017 mostraron que la aromaterapia mejoró los síntomas depresivos. Algunos de los mejores aceites esenciales para mejorar tu estado de ánimo incluyen romero, naranja dulce, jazmín, ylang-ylang y lavanda. Por supuesto, si el olor a lavanda te irrita, no ayudará, por lo que vale la pena probar diferentes aromas para ver sus efectos.

Hacer algunos o todos estos pequeños cambios no va a detener los patrones de pensamiento negativos. Son consejos que crearán un ambiente más positivo para ti.

En un entorno positivo, te resultará más fácil buscar soluciones y alternativas más optimistas y puede hacerte sentir un poco más fuerte y más capaz de manejar tu situación.

Ponerlo en práctica:

No hay excusas, esta semana deberás tomar tres pequeños pasos a un hogar más positivo. Por menos de $ 10, puedes conseguir una planta de interior y un aceite esencial. Tarea número tres, ordenar solo un área. Podría ser un cajón o un armario, no es necesario pretender ordenar una habitación completa.

Estos tres objetivos son fáciles de lograr, por lo que te sentirás mejor contigo mismo rápidamente. A continuación, tómate unos días para ver si notas una diferencia con la planta y el aceite esencial. La próxima semana, obtén otra planta y otro aceite esencial. Mantén un registro de cómo te hacen sentir estos pequeños cambios.

Bota los pensamientos negativos que aparecen en momentos inapropiados

En un mundo perfecto, nuestros pensamientos negativos surgirían en un momento en que podríamos sentarnos y abrirnos camino a través de la emoción. Pero, como no podemos controlar cuando la mente toma el control, es más que probable que hayas tenido pensamientos negativos que condujeron a la ansiedad y posiblemente incluso ataques de pánico en los momentos más inapropiados.

Durante nuestro día, hay momentos en que no podemos permitirnos el lujo de descomponernos. Podríamos estar conduciendo nuestros coches y no prestar atención al camino. Puede ser durante una reunión o presentación, o quizá cuando tus hijos te necesitan.

En estos momentos tenemos que estar en la cima de nuestro juego, lo que significa que tenemos que vencer a los pensamientos negativos, pero no olvidarlos. Es una pausa para que podamos terminar la tarea y luego tomarnos el tiempo para entender por qué apareció y qué se puede hacer al respecto. Para detener algo en un instante, tu cerebro y tú tienen que actuar con bastante rapidez. Es cuestión de segundos, pero no te preocupes, el cerebro es perfectamente capaz de trabajar a esas velocidades.

Las imágenes visuales pueden hacer maravillas para bloquear un pensamiento negativo. Puedes imaginar una señal de "Pare", el borde de un acantilado, o incluso una imagen positiva como tu helado favorito, un actor apuesto, piensa en una imagen que te obligue a detenerte.

Una vez que los frenos estén puestos, respira hondo. Suena como un cliché pero la respiración diafragmática, o la respiración profunda, disminuye los niveles de cortisol, aminorando el estrés que experimentamos. La imagen corporal ha causado que algunas personas cambien su forma natural de respirar. Al mantener los estómagos para estimular un estómago plano, evitamos que la parte inferior de nuestros pulmones se llene de aire. Esta respiración en el pecho puede aumentar la ansiedad.

Ponerlo en práctica:

Respira ahora, no de forma forzada sino normal. Presta atención al número de segundos que inhalas y al número de segundos que exhalas.

Ahora, toma otro respiro pero ahora más profundo, imagina el oxígeno llenando cada pulgada de tus pulmones como un globo.

Hay una regla 4-7-8 para la respiración profunda. Inhala durante 4 segundos, mantenlo durante 7 y exhala durante 8. El número real de segundos no es la parte más importante; debes asegurarte de exhalar durante más tiempo del que inhalas.

Ser consciente de lo profunda que puede ser tu respiración te ayudará a respirar correctamente al bloquear un pensamiento negativo.

Si practicas la respiración profunda de forma regular, también puedes bajar la presión arterial, dormir mejor y mejorar tu concentración (WebMD, 2021).

Otra técnica para detener el pensamiento negativo en el momento es practicar trucos de terapia de aversión.

Mantén una banda elástica en tu muñeca. Cuando aparezca un pensamiento negativo, mueve la banda elástica. Tu subconsciente aprende que hay una asociación entre el pensamiento negativo y el dolor de la banda elástica.

Hay estudios que muestran resultados positivos y otros que contradicen la práctica. Por lo menos, proporcionarás una distracción al pensamiento negativo original.

Tómate un momento para hacer una pausa y pensar en los personajes emocionales en tu cerebro. Desconéctate de la voz crítica que escuchas para que puedas ver tus emociones por lo que realmente son.

Puedes intentar añadir una frase como "Estoy teniendo este pensamiento que..." y añadir lo que estás pensando. No suena como una gran diferencia, pero esto separa tus pensamientos negativos de ti como persona porque no es lo mismo que "creo..."

Finalmente, toma el control y la responsabilidad. Hay una fracción de segundo entre poder bloquear con éxito el pensamiento y que el pensamiento se salga de control.

Es difícil y, en estas situaciones, es importante ser duro contigo mismo en lugar de sentir que eres la víctima. Puedes controlar lo que pase después.

Tú decides si continúas con la actividad que necesita tu atención, o si continúas con tus pensamientos negativos. ¡Hazte responsable de lo que suceda después!

Pensar tu camino a la positividad

La capacidad de pensar positivamente ayuda a manejar el estrés, aumenta los niveles de energía y reduce los síntomas de la depresión. En un amplio estudio sobre 70.000 mujeres entre 2004 y 2012, se demostró que aquellas que eran optimistas tenían menos riesgo de enfermedad cardíaca, accidente cerebrovascular, varios tipos de cáncer, infecciones y enfermedades respiratorias (American Journal of Epidemiology, 2017).

La positividad no solo sucede. Tenemos que hacer que suceda y, a veces, esto va a requerir esfuerzo de tu parte. Siempre hay algo positivo si miramos lo suficiente. Puede que no sea obvio, y puede que necesites algo de tiempo para verlo, pero estará ahí.

Si te dejan plantado en una cita, es difícil ver lo bueno. Pero la verdad es que te acabas de ahorrar meses de salir con alguien que nunca iba a ser lo suficientemente bueno para ti. Llueve a cántaros y tienes un millón de compras que hacer. Bueno, no hay nada mejor que sentarse junto a la ventana con una bebida caliente y ver la lluvia una vez que haya terminado todo lo que debes hacer.

En una nota similar, estar agradecidos por lo que tenemos aumenta la positividad, el bienestar y la salud mental. 300 estudiantes universitarios fueron separados en tres grupos. Un grupo escribió una carta de gratitud a otro estudiante cada semana durante 12 semanas. Otro grupo escribió sus pensamientos y sentimientos negativos mientras que el tercer grupo no escribió nada.

Los resultados mostraron que no solo aquellos que escribieron cartas de gratitud se sintieron mejor, sino que también experimentaron menos emociones tóxicas (Wong et al., 2016). El mismo estudio también descubrió que en realidad no era necesario compartir la carta con nadie para experimentar los beneficios.

Para poner en marcha el pensamiento positivo es una gran idea rodearse de gente positiva. La positividad es como una bola de nieve en la cima de una montaña. Toma impulso y crece con cada giro. Es magnética: una fuerza de la que no puedes, ni quieres, escapar.

La gente positiva tiene una abundancia de energía, y se expande a otros sin drenar sus propios niveles. Imagina el tiempo que pasas con personas positivas como una oportunidad para recargar tu batería. Nota el vocabulario que usan y que incluso la velocidad en la que hablan es energética.

Las personas positivas suelen ser muy divertidas y buenas para hacer reír a la gente. No sientas que tienes que ser la fuente de la risa, pero puedes apreciar el humor y sus beneficios.

La risa libera endorfinas, que fomentan una sensación general de bienestar. Puede que no sea una risa inmediata, pero sonreír más es un buen comienzo.

Es una batalla cuesta arriba cuando estás poniendo todo el trabajo en pensar más positivamente, pero luego enciendes las noticias y todo es negativo.

No es para decir que nunca puedes ver las noticias de nuevo, solo ten cuidado con la cantidad de negatividad a la que te expones.

Si te sientes deprimido, ahora no es el momento de dejar entrar más negatividad. Si te sientes positivo, quizás debas aferrarte a ese sentimiento un poco más. Las noticias seguirán ahí más tarde.

Me resulta útil tener una aplicación de noticias. De esta manera, puedo desplazarme por los titulares y elegir lo que quiero leer o ver. Esta es una buena manera de mantenerse al día con lo que está sucediendo en el mundo sin entrar en todos los detalles que pueden arrastrarte hacia abajo.

Ponerlo en práctica:

Deja el libro o la tablet y busca algo positivo. Es extraño lo que significa la positividad para diferentes personas.

Podría ser que tu serie favorita sea la próxima en la televisión, la papada que tenías parece ser un poco más pequeña, ¡o que tus ventanas no necesiten limpieza por otras semanas!

En una escala más grande, tu madre podría regañarte sobre tu vida personal, pero todavía te hace tu comida favorita cada vez que la visitas.

Su compañero de trabajo es molesto, ¡pero tienes un cheque de pago constante al final de cada mes!

Ahora, comienza todos los días a hacer lo mismo. Encuentra algo positivo y mantén ese pensamiento durante la jornada. Después de solo unos días, empieza a ser más fácil.

A continuación, crea una nueva carpeta en tu teléfono, tablet o computadora. Haz una búsqueda rápida en Internet sobre memes y GIF para hacerte reír.

Navega en ellos y escoge entre 5 a 10 que realmente te hagan reír y no te preocupes si son estúpidos o no aptos para el humor de todos, es solo para ti.

Guarda tus memes y GIF en la nueva carpeta. Durante tu desayuno, echa un vistazo rápido a través de ellos.

Elimínalos cuando pasen de moda, agrega otros nuevos, pero cada mañana, comienza el día con una risa.

Tomar tu camino hacia la positividad

"Vives las palabras que te dices a ti mismo en tu mente".

— *DRA. MAGDALENA BATTLES*

Por alguna razón, hablar contigo mismo es un signo de locura, pero la conversación negativa es perfectamente aceptable. Necesitamos poner fin a cualquier forma de pensamiento crítico hacia nosotros mismos. El diálogo personal son los mensajes y opiniones que te estás diciendo a ti mismo. Podría estar relacionado con tus habilidades, conocimientos o cómo lo hiciste en una actividad en particular.

La conversación negativa está estrechamente relacionada con una mentalidad fija. Es la voz dentro de nosotros la que nos dice que no podemos hacer cosas, o que nunca podremos hacerlo. A menudo hay una gran cantidad de "lo que hubiera pasado" y "si tan solo" con el habla negativa.

Por ejemplo: "Si tan solo no hubiera hecho ese comentario tonto" u "Ojalá no hubiera aceptado hacerlo". Lo que nos decimos a nosotros mismos tendrá un impacto masivo en las próximas decisiones que tomemos. Determina si seguimos intentando o no.

Imagina que quieres empezar tu propio blog. Has escrito un par de artículos, pero nadie está interactuando. La conversación negativa te dice que no eres un buen escritor y que no tienes nada interesante que compartir con los demás.

Por otro lado, la conversación positiva te dice que necesitas trabajar en tus percepciones. En un escenario, te rindes. En el otro, lo intentas de nuevo y tienes éxito. Si prestas atención a la conversación negativa, nunca sentirás la alegría del éxito.

La conversación negativa continua te va a drenar de tu confianza e incluso puede crear distancia entre tú y los demás. Debido al miedo que infunde el diálogo interno negativo, empezamos a sentirnos como si estuviéramos paralizados, atrapados en esta situación sin ninguna salida.

Aprender a elegir la conversación positiva es un tema más desafiante, así que en el Capítulo 7 entraremos en mayor detalle. Sin embargo, aquí hay algunos consejos sobre cómo empezar a generar más conversación interna positiva.

Presta mucha atención a tus palabras. A menudo se vuelve tan natural que no notas cuánto vocabulario negativo usas.

Las palabras negativas típicas incluyen *no*, *nunca*, *nada*, y *nadie*. Entonces tienes todas las locuciones negativas, como *no puede* y *no debe*.

La palabra negativa asesina es "pero". Cuando terminas una oración con *pero*, a menudo precede a una excusa: "Podría ir al gimnasio, pero habrá tráfico". Más tarde, la excusa lleva a hablar más negativo, porque nos sentimos gordos y poco atractivos.

Deja de compararte con los demás. Solo causa conversación interna negativa y la forma en que vemos a otras personas a menudo está muy distorsionada. Si alguien consigue un ascenso sobre ti, no es porque sea mejor que tú.

Pueden haber tenido que hacer grandes sacrificios para llegar allí o tomar cursos adicionales y mejorar sus habilidades. Un amigo que siempre está entreteniendo a la multitud no es más increíble que tú, solo tiene más confianza.

Ponerlo en práctica:

Vamos a trabajar de a tres por ahora. Recuerda que habrá más sobre la conversación interna positiva después, pero, por ahora, practiquemos la eliminación de algunas conversaciones internas negativas.

Pasa un día anotando el vocabulario negativo que usas. No necesitas ir al extremo de escribir una lista, a menos que lo desees. Decide qué tres palabras usas con más frecuencia y prohíbete usarlas. ¡Toma el viejo sistema de frascos de insultos y conviértelo en tu frasco negativo!

Ahora, toma 3 creencias que tienes sobre ti mismo. En tu diario o en un pedazo de papel, cambia estas creencias para que reflejen una mentalidad de crecimiento. Por ejemplo:

#1. Nunca encontraré a la persona correcta.

No estoy listo para la persona correcta en mi vida, todavía.

#2. No puedo completar un sudoku.

Aprenderé cómo completar un sudoku este mes.

#3. Estaré trancado en este trabajo para siempre.

Una vez que gane más confianza, buscaré un nuevo trabajo.

No todas las oraciones son negativas. Vamos a usar lo contrario pero para quitar cualquier implicación negativa. En lugar de decir "Quiero ir al gimnasio, pero habrá tráfico". invertirlo. "Va a haber tráfico, pero quiero ir al gimnasio". El tráfico ya no es una excusa, lo aceptas. La próxima vez que sientas que viene un "pero", cámbialo.

Cómo superar el pensamiento negativo automático

Por definición, estos tipos de pensamientos son muy difíciles de detener. Aparecen inesperadamente y tenemos poco o ningún control sobre ellos. Como no podemos prevenirlos, es fundamental que aprendamos a lidiar con ellos. Sin embargo, no te preocupes, tu pensamiento negativo automático se ralentizará una vez que comiences a ver mejoras en tu perspectiva.

Lo primero que debes hacer es atacar los pensamientos negativos automáticos de frente. Para ello, desconéctate del pensamiento, dale personalidad al estilo de *Intensa-Mente* y cuestiónalo. Pregunta a este personaje si está basado en hechos u opiniones y si hay algún consejo para respaldar su presencia. ¿Ha aparecido para ayudarte u obstaculizarte?

Si te cuesta desprenderte del pensamiento automático, escríbelo. Suena demasiado simple, pero escribirlo proporciona un espacio entre tú y el pensamiento. Te da una vista para usar en lugar de dejar que el pensamiento gire alrededor de tu cabeza.

Hacer un seguimiento de tus pensamientos en papel es otra manera de entender qué tipos de pensamientos aparecen. Muchas veces, estamos agobiados por tanto pensamiento negativo, pero si nos remontamos a lo que hemos escrito, tienden a basarse en la misma idea. De repente, cien pensamientos negativos automáticos pueden reducirse a 10.

¿Cuántas veces has escuchado a alguien contar la misma historia una y otra vez pero parecen olvidar que ya la has escuchado? En tu mente, no puedes dejar de pensar en lo aburrida que es esta historia, pero eres demasiado educado para decir algo. Tu pensamiento negativo automático no tiene sentimientos. No se ofenderá ni se enojará si te das la vuelta y dices: "Escucha, he oído esto una docena de veces y me estás aburriendo".

También puedes imaginar tu pensamiento negativo como una persona en una habitación vacía con solo una bombilla. Sé la persona que toma el cable y apaga la luz. Tal vez la persona está en un barco navegando lejos y Andrea Bocelli está cantando "Tiempo de decir adiós".

El punto de estos ejercicios visuales es que tu mente está más enfocada en eliminar el personaje que en realidad representa el pensamiento negativo.

Los pensamientos negativos automáticos también se pueden reducir considerablemente cambiando el vocabulario que utilizamos. Debería y no debería provocan negatividad porque están ejerciendo presión sobre ti que quizás no puedas manejar en ese momento.

Piensa en la frase "Debería ahorrar para mi retiro". Esto es sensato y cierto, pero qué hay si aún no has pagado tu coche, o no has finalizado la hipoteca. La presión financiera comienza a aumentar, pero no hay un plan para lograr tus objetivos.

En lugar de enfatizar lo que debes hacer, crea una oración que te recuerde lo que quieres lograr, pero que provoque acción en lugar de presión. "Cuando obtenga un crédito, voy a establecer un fondo separado para mi jubilación".

Ponerlo en práctica:

Hoy, vas a ser una Tía Agonía (o Tío). Tu pensamiento negativo automático ha sido personificado en un amigo y te están diciendo lo que está mal. Tu amigo dice: "Nunca voy a poder dejar de fumar". ¿Qué les dirías tú?

Independientemente del pensamiento negativo que se le ocurra a tu "amigo", busca formas objetivas de superar su problema. Es increíble lo fácil que es decirle a los demás qué hacer, pero ignoramos nuestro propio consejo. Cuando ofreces orientación a otra persona, tienes la oportunidad de ver cuán sabio y empático eres realmente.

Cuatro métodos para detener el bucle negativo

Según el Dr. Fred Luskin, de la Universidad de Stanford, el 90 % de nuestros pensamientos a lo largo del día se repiten. Ya sabemos que la mayoría de nuestros pensamientos son negativos, pero ahora considera cuántos de nuestros pensamientos negativos cada día están en un bucle repetitivo.

Hay un serio problema con esto. En primer lugar, eso es un montón de ruido mental que llevamos a todas partes con nosotros. Aparte de hacer más difícil pensar positivamente, hay muy pocas posibilidades de ganar paz mental.

Más aún, la oportunidad de un pensamiento de espiral fuera de control se incrementa. Esto puede tener un efecto tornado. Puede comenzar de a poco, pero a medida que recoge más pensamientos en su camino, se convierte en una catástrofe.

Otra manera de verlo es como pensamientos negativos en espiral hacia abajo. Al igual que una roca comienza lentamente rodando por una colina, rápidamente toma impulso a medida que se aleja de la colina.

Tomemos un ejemplo: trabajaste menos horas este mes y ganaste menos de lo habitual. Puedes aún pagar la cuota de la hipoteca, pero ya no puedes pagar el coche. Si lo mismo sucede el mes siguiente, tendrás entonces dos meses de retraso y el riesgo de perder el coche. Sin el coche, no puedes llegar al trabajo y te arriesgas al despido. La espiral descendente continúa mientras te enfrentas a perder tu casa.

Las espirales negativas descendentes pueden ocurrir incluso con el pensamiento negativo más pequeño. Tal vez te precipitaste por la puerta y te olvidaste de vaciar la lavadora. Ahora, cuando vayas a casa, vas a tener que volver a lavar, así como lavar los platos que no tuviste tiempo de hacer. Los niños tienen sus actividades, y se suponía que ibas a ayudar a un amigo a revisar su propuesta de trabajo.

A medida que la roca comienza a acelerarse, nos ahogamos por todas las otras cosas que necesitan hacerse, incluso aquellas que no necesariamente deben hacerse hoy.

El verdadero peligro viene cuando no podemos controlar estos pensamientos en espiral y conducen a ataques de pánico. Es posible que ya hayas notado otros efectos negativos para la salud, como insomnio, hábitos poco saludables relacionados con la dieta y el ejercicio, o mayores niveles de estrés y depresión.

Muchas de las estrategias anteriores ayudarán a reducir los pensamientos negativos en espiral. Tú no quieres tratar de bloquear los pensamientos o tratar de reemplazarlos con los positivos. Evalúa si el pensamiento está justificado o si hay evidencia detrás de él. El truco ahora es actuar antes de que haya una oportunidad de que se salga de control.

Para hacer esto, visualiza tu espiral de pensamientos negativos. Comienza en la parte inferior y desentraña hasta llegar al primer pensamiento original. Acepta que este pensamiento original es un pensamiento automático, pero tienes el control de los pensamientos que siguen. Para detener el espiral que comienza de nuevo, necesitamos lanzar la moneda para ver la otra cara del pensamiento original.

Si has trabajado menos horas y temes que lo mismo suceda el próximo mes, ¿qué puedes hacer al respecto? Puedes aprovechar el tiempo libre y ordenar tu casa, vendiendo todo lo que no necesitas. Podrías registrarte a los sitios de trabajo freelance y aceptar algunos pequeños trabajos para incrementar el ingreso.

Si tu casa es un desastre, acéptalo. Sí, es negativo, pero al permitir que la espiral tome el control, afectarás tus niveles de energía y motivación, así que cuando llegues a casa, estarás demasiado exhausto para hacer algo.

Enfócate en hacer algo constructivo como una lista de tareas para ayudar a despejar tu mente. Organiza todo lo que tienes que hacer por prioridad y asigna una recompensa a cada actividad para que estés alimentando tu cerebro con pensamientos positivos que vayan con cada negativo.

Cada vez que sientas que el pensamiento negativo inicial aparece en tu mente, recuérdate el otro lado. “No voy a ganar tanto de mi trabajo, pero estoy emocionado por limpiar mi cocina”. “Cuando termine los dos trabajos que no hice esta mañana, puedo quitarme la ropa de trabajo y ponerme cómodo”.

No estamos luchando contra el pensamiento negativo reemplazándolo por un negativo. En cambio, estamos reconociendo que el pensamiento está ahí y acompañándolo con un positivo.

Ponerlo en práctica:

Una de las maneras más rápidas de hacer esto es cambiar el entorno. Si estás sentado en la cocina y comienza la espiral, vete. Sal, ve a tu cuarto.

Al cambiar el entorno, estás dando a tu cerebro más para tomar. Puedes recordarte algo que necesitas hacer que ocupará tu mente.

Si no puedes cambiar el entorno, cambia tu actividad. Incluso si se trata solo de pasar de chequear cuentas a responder correos electrónicos. El cerebro necesita nuevos estímulos para diferir el pensamiento de tomar el control.

La segunda técnica es el vaciado de cerebro, un método impresionante para detener la espiral. Toma lápiz y papel y marca un temporizador de 15 minutos. Durante este tiempo, debes escribir absolutamente todo lo negativo en tu mente, sea importante o no.

No es necesario cuestionar la legitimidad ahora mismo porque el reloj está corriendo. Cuando se acabe el tiempo, deberías estar libre de pensamientos negativos. Para que un vertedero de cerebros funcione, es necesario destruir el papel. Quemarlo, tirarlo por el inodoro, triturarlo, simplemente no mantenerlo.

El tercer método es otro consejo de visualización. Cuando los pensamientos negativos comienzan a descontrolarse, puede ser útil que recuerdes y visualices cómo funciona el cerebro. No te preocupes por los términos técnicos del cerebro. Imagino mi cerebro como un globo con manchas de azul y manchas de rojo. El azul son mis pensamientos negativos y el rojo, los positivos.

La cuarta técnica es imaginar tus pensamientos negativos como el teletipo o rastreador de noticias. Este es el texto que aparece en la parte inferior/ superior de la pantalla mientras está viendo otras historias. Es un carrete constante de texto con espacios muy breves. Traten esto como pausas en su pensamiento negativo. Esta técnica permite que los pensamientos negativos existan en lugar de ignorarlos, pero le da a tu mente momentos de paz mientras estás enfocado en la pausa. Cada vez que venga la pausa, que sea un poco más larga.

Consejos esenciales para remover los pensamientos tóxicos

Los pensamientos tóxicos son el extremo del pensamiento negativo. Son viciosos y pueden aumentar seriamente el estrés y la ansiedad. Los pensamientos tóxicos podrían ser sobre nosotros mismos, pero también pueden ser sobre otros.

Cuando un conductor comete un error frente a ti, ¿lo dejas pasar, o estás furioso con él en tu cabeza? ¡Enfurecerse es tóxico!

Hay varias razones para nuestros pensamientos tóxicos:

- Personalizamos nuestros fracasos (no soy lo suficientemente bueno).
- Tememos el rechazo (no me amarán, si pasa tal cosa…).
- Esperamos perfección (debió haber salido mejor).
- Nos percibimos a nosotros mismos como víctimas (es por mi mala suerte).
- Culpamos a los demás (si ellos hubieran llegado a tiempo, nada de esto hubiera pasado).
- No apreciar el real sentido de la felicidad (si tan solo tuviera dinero…).
- Sentir el deber de justificar nuestra mala conducta (lo hice porque…).

Si los pensamientos tóxicos son sobre ti mismo o sobre tus habilidades, necesitas regresar y determinar si están justificados. Si te preocupa cómo se sentirán los demás debido a tus reacciones, considera si su opinión tiene más valor que tu propia felicidad.

Hay gente tóxica en el mundo cuyas opiniones no deberían afectarte en absoluto. Sus sentencias hirientes no se basan en la verdad, sino solo en una herramienta para obtener lo que quieren. Es esencial que te alejes de cualquiera que provoque pensamientos tóxicos. Al menos mantente alejado de ellos hasta que seas lo suficientemente fuerte como para tratar con personas tóxicas.

No eres una mala persona y es perfectamente normal caer víctima de la envidia. Aún así, no puedes permitir que pensamientos tóxicos te conviertan en víctima. El césped no es más verde en el jardín del vecino. Es más verde donde se riega.

Si alguien tiene una cualidad u objeto material que deseas, no hay ninguna regla que diga que no puedes tener lo mismo. Donde estás ahora no es por mala suerte o destino. Hay una alternativa positiva para elegir si quieres.

Respecto al tema del césped, a menudo miro el jardín de mi vecino y envidio sus flores. Me hubiera gustado ser capaz de cultivar fresas para comer y recoger mis propias verduras. Confieso que eso me amargó y me hizo ligeramente resentido hacia ellos. Aunque no fue su culpa que yo no tuviera la habilidad y ciertamente ellos no me impedían aprender.

Me tragué mi orgullo y les pedí consejo. No solo estaban más que felices de compartir sus consejos de jardinería, sino que también tenemos un gran vínculo ahora, mejoró mi vida social fuera del trabajo y la familia.

Ponerlo en práctica:

Esta práctica se trata de superar los pensamientos tóxicos con bondad. Es una práctica diaria. Primero, encuentra lo bueno en alguien. Cuando alguien dice algo que te hace pensar de una manera tóxica, busca lo bueno en él. Por ejemplo, si alguien ofrece su crítica constructiva, tu primer pensamiento puede ser tomarlo como un ataque negativo. Repiensa lo que dijo y reflexiona acerca de cómo estaba realmente tratando de ayudar.

Cada día, di algo agradable a alguien. Haz un cumplido. De nuevo, primero necesitas encontrar el bien en esa persona para que tus palabras amables sean genuinas. En un mundo donde las personas son tóxicas entre sí antes de que sean agradables, estás dando un gran ejemplo de cómo deberían ser las cosas. Pronto, la gente se dará cuenta y comenzará a devolver las palabras amables.

Finalmente, cada día, tómate un momento para ser generoso. Esto no debe costarte mucho dinero. Sé generoso con tu tiempo o comida. Si ves a alguien teniendo un día peor que tú, cómprale un café y aprecia su sonrisa.

Cuanto más bien puedas hacer, mejor te sentirás contigo mismo, y más fácil será descartar pensamientos tóxicos que no tienen evidencia.

Cómo lidiar con los pensamientos negativos

Los pensamientos negativos que regresan pueden ser una combinación de los mencionados anteriormente. Podrían ser pensamientos tóxicos causados por el comportamiento de otras personas o por el tuyo propio. Podrían comenzar siendo pequeños pero crecer a medida que rumias más. Es posible que hayas identificado un pensamiento negativo automático que sigue reapareciendo.

Cualquiera que sea el desencadenante de estos pensamientos que siguen surgiendo, tienes que recordar que cambiar la forma en que piensas lleva tiempo. Al igual que con cualquier problema de salud mental, es necesario dedicar tiempo y esfuerzo para que los resultados se muestren.

Esto requerirá paciencia y, sobre todo, compasión hacia ti mismo. Probablemente has sentido que tu negatividad tomó el control hasta el punto que sientes que no mereces cuidarte y mimarte. Vamos a ver el autocuidado más adelante en el libro. Sigue haciendo pequeñas diferencias en casa para crear un ambiente más positivo.

Cuestiona constantemente de dónde vienen estos pensamientos negativos. Y, para aquellos pensamientos persistentes que no se dan por vencidos, personifícalos y hazles saber que estás cansado de la misma historia.

Si aún no lo has hecho, ahora es el momento de empezar un diario. Debido a que el progreso es continuo, es extremadamente beneficioso pasar de 10 a 15 minutos cada día escribiendo cómo te sientes. Esto te dará tiempo para procesar pensamientos y sentimientos, y analizar los que están distorsionados. Muchas personas recurren al diario cuando no se sienten cómodas hablando con otros sobre cómo se sienten.

Ponerlo en práctica:

Por ahora, anota todas las cosas que haces en una semana a favor de tu propia salud y bienestar. ¿Qué cosas positivas haces? ¿Caminas al trabajo en vez de tomar el coche? ¿Duermes bien y tienes tiempo para ti mismo? ¿Y tu dieta, crees que es balanceada?

Con el fin de continuar en tu viaje a una perspectiva positiva, es necesario tener fuerza interior. Tómate este tiempo para averiguar cómo se incrementa tu fuerza interior.

Ahora tienes un arsenal de herramientas que te permitirán controlar los diferentes tipos de pensamiento negativo. No todas van a servirte, pues todos tenemos personalidades muy diferentes. No las descartes sin darte tiempo para apreciar la diferencia. Mantén un registro de la diferencia que hace cada herramienta.

El próximo capítulo se centrará en la rumia. Lo que nos mantiene despiertos por la noche y nos impide vivir en el presente. Con información y ejercicios de práctica, serás capaz de desarrollar mejores habilidades de toma de decisiones y tomar las opciones que te conduzcan a una vida mejor.

PASO 4: ELIMINAR LA RUMIACIÓN Y EL SOBREPENSAMIENTO EN UNOS POCOS Y SENCILLOS PASOS

Ya hemos discutido la diferencia entre pensamientos negativos y rumia. Si bien la rumia puede involucrar pensamientos negativos, es más una sensación constante de regaño que una sensación sofocante.

Muchas personas sienten que rumiar les deja pasar demasiado tiempo pensando en su pasado y futuro, una zanja en la que están atrapados que les impide vivir en el presente. No hay botón de apagado y la gente a menudo se encuentra despierta toda la noche con estos pensamientos extremadamente intrusivos.

En la mayoría de los casos, somos capaces de poner un poco de espacio entre nosotros y la rumia, pero eso no detiene el problema, ya que solo nos castigamos a nosotros mismos por pensar demasiado y preocuparnos.

Tenemos que hacer un esfuerzo para detener la rumia para que nuestro pasado y futuro no definan quiénes somos en este momento. Al hacerlo, seremos capaces de vivir con más claridad y comprender mejor nuestras circunstancias.

Echemos un vistazo a un ejemplo real de pensamiento negativo y rumia.

Paul se separó de su novia hace unos 6 meses. Dijo algunas cosas bastante duras sobre su apariencia física y su personalidad.

Su pensamiento negativo le hizo repetir estas palabras una y otra vez. Creía que era una mala persona y que su ex tenía toda la razón. Deambulaba, no tenía agallas, y había ganado peso en su tiempo juntos.

Su rumia le hizo pensar en cómo debería haber comenzado a jugar al fútbol con sus amigos para controlar su peso. Pensó en el futuro y en cómo nunca iba a tener la confianza de conocer a otra mujer a su edad.

Quería cambiar su personalidad para que más gente lo quisiera. Los cambios que quería hacer lo abrumaron hasta el punto de que no podía hacer nada al respecto.

Paul tiene que trabajar en su pensamiento negativo porque lo único que su novia había dicho con base en evidencia fue el ligero aumento de peso.

Mientras que el capítulo anterior puede ayudarte a superar los patrones de pensamiento negativos, en este capítulo superarás el zumbido continuo de la rumiación.

7 maneras de combatir la rumiación y el sobrepensar

Cuando la rumia comienza, es necesario poner un alto a la misma lo más rápido posible. De esta manera, puedes evitar que se salga de control y que conduzca a pensamientos aún más oscuros.

Como con muchos de nuestros procesos de pensamiento, el primer paso es entender nuestros desencadenantes. ¿Qué es lo que ha causado que la rumia comience? ¿Estabas haciendo una actividad en particular o con cierta persona?

Ejemplos:

- Visitar una ciudad a la que fuiste en vacaciones con tu expareja va a revivir recuerdos.

- Pasar tiempo con una persona tóxica puede llevarte a cuestionar por qué no usas el tiempo más sabiamente.

- Cocinar los mismos platos que tu abuela fallecida desencadenará sentimientos de pérdida y duelo.

- Mirar una película en particular puede aflorar emociones relacionadas con tus propias experiencias.

No quiere decir que no podrás volver a hacer estas cosas. Solo significa que antes de revisar estos disparadores, necesitas tomar el control de tu pensamiento excesivo. ¡Ahora veremos cómo!

1. Encuentra una distracción

Muchas personas encuentran que la rumiación comienza cuando la mente está distraída ante una tarea. Si estás enfocado en una actividad, tu mente está demasiado ocupada para pensar en otra cosa.

Tan pronto como veas las primeras señales de pensar demasiado, levántate y haz algo diferente. Ve a caminar, limpia un poco o lee un libro.

Para estas épocas, recomiendo altamente las aplicaciones y los rompecabezas del entrenamiento del cerebro en tu teléfono. No solo dejas de rumiar, sino que también le das a tu cerebro un entrenamiento positivo.

2. Habla con gente

A veces, solo una llamada telefónica a un amigo o familiar es suficiente para distraer el cerebro. No necesitas discutir lo que te preocupa, especialmente si te preocupa cómo se sienten los demás acerca de tu preocupación constante.

Por otro lado, si abordas el tema de una manera que no parezca que te estás quejando de tu vida, puedes obtener algunas ideas increíbles. En lugar de decirle a la gente lo que te preocupa, hazle saber que te preocupas y pídele consejo sobre cómo puedes superar esto.

La gente está mucho más inclinada a prestarte su oído cuando quieres hacer algo al respecto en lugar de quejarte. No necesariamente necesitas seguir su consejo, pero definitivamente considéralo.

3. Haz un plan

La rumia es a menudo un truco que juega nuestro cerebro con nosotros para hacernos creer que estamos llegando a soluciones cuando realmente estamos atascados.

Define el problema que está causando tu preocupación en una oración. A continuación, comienza a trabajar hacia atrás a través de cada paso para tener un plan de acción para resolver el problema. No olvides que cada paso debe ser pequeño y manejable.

4. No esperes para tomar acción

Siempre aconsejo a la gente que dé el primer paso en su plan de acción con algo que pueda hacer de inmediato. Si tu plan comienza con "hablar con X acerca de Y", lo harás la próxima vez que te encuentres con X. Se pone el plan en marcha.

Si te preocupa tu salud y quieres empezar a comer más frutas y verduras, no esperes a que las tiendas estén abiertas. El primer paso de tu plan de acción debe ser encontrar tres nuevas recetas saludables, que puedas hacer de inmediato.

5. Cuestiona tus pensamientos en exceso

Al igual que con nuestros pensamientos negativos, es esencial decidir si la causa de tu rumia es justificable.

¿Realmente tienes un problema que puedes resolver o está en las manos de otra persona? ¿Estás perdiendo el sueño por una presentación, pero tu compañero de trabajo está preparando los materiales y solo tienes que aparecer? ¿Es posible que hayas perdido la perspectiva y que un grano de arena se haya convertido en una montaña?

Cuestiona tus pensamientos y desafíalos.

6. Revalúa tus metas

Tener metas es importante para cumplir nuestros deseos. Sin metas permaneces en el mismo sitio, sin movimiento. A veces, nos fijamos metas inalcanzables, y esto nos hace pensar en cómo vamos a alcanzarlas en lugar de crear el plan para llegar allí. También tenemos que tener cuidado de que nuestros objetivos no sean perfeccionistas.

¿No es mejor aprender primero cómo restaurar muebles y luego trabajar en el perfeccionamiento de su técnica? ¿No deberías intentar correr media maratón antes de una maratón? Puedes perfeccionar una habilidad con el tiempo.

Pero si tu objetivo es hacerlo perfecto al primer intento, la acción inicial será aún más desalentadora.

7. Dale un impulso a tu autoestima

La gente que piensa mal de sí misma está más inclinada a rumiar. Tanto la rumia como la baja autoestima pueden estar relacionadas con un mayor riesgo de depresión.

Todos somos buenos en algo cuando miramos lo suficiente. Puede ser algo pequeño como terminar un crucigrama en tiempo récord, cuidar de plantas o cocinar postres de calidad fina.

No sientas que tienes que mostrar tus habilidades al mundo, pero tómate el tiempo para disfrutar de estas actividades y desarrollarlas, así como aprender nuevas habilidades.

A continuación, examinaremos más de cerca algunos tipos diferentes de rumia y cómo superarlos, comenzando con cómo podemos detener el pasado de interrumpir nuestro presente y predecir falsamente nuestro futuro.

Aprende a no permitir que el pasado y el futuro determinen tu presente

Según un estudio de los psicólogos Matthew Killingsworth y Daniel Gilbert pasamos el 46,9 % de nuestro día de vigilia pensando en algo más que la tarea que estamos haciendo. Eso es casi el 47 % de nuestro tiempo pensando en el pasado, el futuro o eventos que pueden ni siquiera suceder.

Nuestros días están llenos de eventos, algunos parecen sin sentido y mundanos como conducir al trabajo. Otros son oportunidades únicas en la vida, y creamos recuerdos con nuestros hijos, padres o amigos. Cuando no podemos disfrutar del presente, nuestra mente toma el mando y roba estos momentos especiales.

Es cierto, conducir al trabajo no es exactamente especial, pero podríamos encontrar una manera de disfrutarlo en lugar de pensar demasiado. ¿Por qué nos tomamos el tiempo para crear una comida deliciosa, pero luego la comemos en cuestión de minutos porque hay otras cosas que hacer?

Estamos perdiendo estas pequeñas alegrías de la vida, al preocuparnos por lo que ha sucedido o lo que está por venir.

Rumiar sobre el pasado

Como todo tipo de pensamientos excesivos, quieres darle un golpe en la cabeza tan pronto como te des cuenta de que tu mente ha comenzado a pensar en el pasado. Al cambiar de actividad, sacudes a tu cerebro hacia un pensamiento diferente.

No vamos a ignorar el pensamiento, porque seguirá volviendo. Vamos a programar un tiempo para lidiar con él.

Cuando estás en el ánimo correcto, a menudo después de hacer ejercicio o lograr una pequeña meta, vuelve a visitar el pensamiento pasado. Para empezar, ahora tienes el control, porque no es un pensamiento automático que acaba de aparecer.

Reescribe el evento pasado, pero con un final más equilibrado y objetivo. No vas a cambiar el resultado, pero esto te dará la oportunidad de ver tanto lo bueno como lo malo.

Imagina que tuviste una discusión con tus padres, y todavía estás repitiendo lo que se dijeron. Actualmente, todavía estás enojado y molesto y esto podría estar influyendo en la forma en que piensas y percibes todo como negativo.

Sin embargo, a pesar de que podrías haberte expresado de una manera más constructiva, todavía te las arreglaste para decirle a tus padres las cosas que necesitaban escuchar.

Si lo miras desde otra perspectiva, puedes ver que mientras debes disculparte por la forma en que hablaste, tienes la oportunidad de reiterar lo que te ha estado molestando. El resultado final será otra conversación con tus padres y una relación más fuerte.

Rumiar sobre el futuro

Esto es lo que hemos caracterizado como lectura de la mente o adivinación. Independientemente de lo que es más probable que suceda, el sesgo negativo y las experiencias pasadas hacen que nuestras mentes salten directamente al peor escenario.

El ejemplo clásico de esto es "¡Tenemos que hablar!" Si es tu pareja, te va a dejar. Si es tu hijo, abandonará la escuela. Si son tus padres, van a morir. Si es tu jefe, te va a despedir. ¡Nadie ha oído las palabras "Tenemos que hablar" y pensó que recibiría un aumento de sueldo! El cerebro simplemente no está conectado de esa manera.

Sin embargo, este temor constante de lo que sucederá en el futuro —conocido como ansiedad anticipada— puede impedir que nos concentremos. También puede afectar nuestras emociones y capacidad de manejarlas. Físicamente, podemos ponernos nerviosos o experimentar tensión en el cuerpo. Si esto continúa por un largo período de tiempo, podrías tener problemas para comer, dormir y seguir con nuestra vida diaria.

La ansiedad anticipatoria puede ser un síntoma de ansiedad social, fobias, TEPT y trastornos de pánico. En estos casos, tal vez necesitarás ayuda profesional para llegar a la fuente de la ansiedad, especialmente si se ha convertido en un miedo que te impida hacer cosas (es decir, que el miedo a los perros te impida ir a cualquier parque o ver a un perro te cause un ataque de pánico).

La manera más importante de superar la rumiación sobre el futuro es cuidar de tu ser físico. La conexión entre el cuerpo y la mente es extremadamente poderosa y tener un cuerpo sano alivia la tensión en la mente. Crear una rutina que incluya una dieta equilibrada, ejercicio y tiempo suficiente para dormir es un gran comienzo.

También puedes reducir la cafeína y el azúcar que tienden a incrementar el nerviosismo. Puedes reemplazar estos hábitos con técnicas de relajación para distender aún más la mente y el cuerpo. ¡Más adelante encontrarás más sobre estos temas!

Técnicas para detener la rumiación y dormir mejor

Dicen que nunca te acuestes con el estómago lleno, ¡pero igualmente útil es nunca acostarte con la mente llena!

La hora de dormir es uno de los peores momentos para la rumia. No hay distracciones y el silencio parece alimentar nuestro pensamiento.

Antes de ver lo que puedes hacer, tómate un momento para considerar lo que debes evitar hacer.

Como se mencionó anteriormente, la cafeína no te va a ayudar. Lamentablemente, deberías dejar el café de la tarde.

Para las mejores posibilidades de conciliar el sueño, es necesario renunciar a la cafeína después de las 3 p. m.

El ejercicio va a ayudar, pero de nuevo, es necesario elegir el momento adecuado. Evita el ejercicio aeróbico al menos 90 minutos antes de acostarte, o seguirás sintiendo la energía del entrenamiento y afectará tu ciclo de sueño.

Ten cuidado con lo tarde que trabajas en la noche.

Hoy en día, parece perfectamente normal estar trabajando en casa por las noches, incluso respondiendo mensajes y correos electrónicos hasta antes de ir a la cama.

Es posible que sientas que estás siendo productivo y que hay menos que hacer por la mañana, pero ocurre lo contrario.

Si no hay suficiente tiempo entre desconectarte del trabajo y dormir, te lo llevarás contigo.

También puedes pensar que llevar el teléfono a la cama o ver una serie en dispositivos ayuda a distraer tu mente y hace que sea más fácil conciliar el sueño. La ciencia nos dice lo contrario.

Todos los dispositivos electrónicos emiten luz azul. Esta luz azul tiene una longitud de onda corta, lo que retrasa la producción de melatonina, la hormona que nos hace sentir somnolientos.

No solo debes evitar la tecnología en el dormitorio, sino que también busca el cambio de bombillas brillantes a colores cálidos que son más relajantes.

Crear la rutina perfecta para eliminar la rumiación nocturna

La rutina perfecta para la hora de dormir varía de persona a persona. Si es posible, intenta incorporar tantas de estas ideas como sea posible.

- Establece un tiempo de cierre para el trabajo. Idealmente, esto será al menos una hora antes de ir a la cama. Será difícil cumplir con esta nueva regla al principio, pero una vez que comiences a dormir más, tendrás más energía para lograr más durante el día y podrás evitar trasnochar por el trabajo.

- Escribe tu lista de tareas para el día siguiente. A menudo, nuestros cerebros repasan todo lo que tenemos que hacer al día siguiente, preocupados por lo que estamos olvidando. Tómate 10 minutos para pensar con seriedad lo que debe hacerse al día siguiente y enumera estas cosas en orden de prioridad. Vete y haz otra actividad y luego vuelve a visitar tu lista en caso de que falte algo. Después de un segundo chequeo, déjalo para el día siguiente.

- Escribe en tu diario. Al igual que el cerebro descarga la lista de tareas pendientes, escribir en tu diario te da la oportunidad de procesar pensamientos y preocupaciones en lugar de llevarlos a la cama contigo. Finaliza cada entrada en el diario con algunas cosas por las que estás agradecido o algunas declaraciones positivas.

- Haz algo que te relaje y te haga sentir bien. Esto podría ser meditación, tomar una bebida caliente o un baño o ducha relajante. Esto puede ser de 10 a 20 minutos de tiempo solo para ti, un regalo que te mereces después de un largo día. Esto puede incluir máscaras faciales, preparar el batido del día siguiente o escuchar tu vinilo favorito, solo un poco de tiempo para cuidarte.

- Cuando estés en la cama, comienza con la relajación muscular progresiva. Tensa los dedos de los pies, respira y sostén durante 5 segundos. Exhala lentamente, mientras liberas la tensión. A continuación, haz lo mismo con los músculos de la pantorrilla y luego con los muslos. Ábrete camino hasta liberar toda la tensión.

- Lee un libro. Un sitio de revisión de colchones preguntó a 1.000 personas sobre su rutina de sueño. Los que leían dormían un promedio de 1 hora y 37 minutos más que los que no lo hacían. La lectura es un hábito saludable que puede reducir el estrés, fomentar la empatía y ampliar tu vocabulario.

- Se ha demostrado que ciertos aceites esenciales favorecen el sueño nocturno. La lavanda calma el sistema nervioso. La combinación de bergamota y sándalo mejoró la calidad del sueño en el 64 % de los participantes en un estudio (Dyer et al., 2016). El aceite de salvia reduce los niveles de cortisol, lo que afecta negativamente nuestros ciclos de sueño (Lee et al., 2014).

- Por último, si no puedes dormirte y encuentras que las preocupaciones te agitan, repite otra ronda de relajación muscular progresiva y recoge tu libro de nuevo. Si esto no tiene el efecto correcto, levántate antes de que el pensamiento excesivo tome el mando. Tómate 20 minutos para hacer otra actividad antes de intentar volver a la cama. Esta actividad debe ser aburrida para que no estés recompensando a tu cerebro. ¡Intenta doblar la ropa o limpiar el inodoro!

No renuncies a tu rutina de sueño. Una nueva rutina puede tardar entre 18 y 254 días en convertirse en un hábito (European Journal of Social Psychology, 2009).

Eso no significa que llevará tanto tiempo ver los beneficios. Y es posible que desees ajustar pequeñas partes de tu rutina para que sea más efectiva. No es una solución de la noche a la mañana, sino que se trata de pequeños y efectivos pasos para toda la vida.

Lidiar con pensamientos intrusivos no deseados

Los pensamientos intrusivos son un tipo de pensamiento negativo. Son patrones involuntarios de imágenes o pensamientos que son perturbadores y pueden conducir a la depresión. Las imágenes y los pensamientos son tan fuertes que las personas pueden obsesionarse con ellos. Los pensamientos intrusivos están estrechamente relacionados con el TOC y el abuso de sustancias.

Los pensamientos intrusivos son parte de la vida cotidiana. Un estudio de la Universidad de Concordia encontró que el 94 % de las personas experimentan estos pensamientos. Sin embargo, necesitamos controlar este tipo de pensamientos antes de que se manifiesten en pensamientos obsesivos o problemas de salud mental más graves.

Los pensamientos intrusivos pueden ser cosas como el miedo a contraer una enfermedad, que ha sido extremadamente común desde el brote del coronavirus. Pueden ser imágenes de actos criminales, lastimar a alguien, pensamientos o imágenes sexuales inapropiadas.

Una persona casada podría pensar en tener una aventura, un destello de una imagen si ve a alguien que le gusta. Cuando no pueden sacar este pensamiento de su mente y comienza a afectar su relación, se ha convertido en un pensamiento obsesivo y posiblemente un signo subyacente de TOC.

Cuando alguien está sufriendo de pensamientos intrusivos de TOC, el miedo será muy específico para ellos. La mayoría de nosotros en algún momento se ha preocupado por coronavirus, pero solo los pensamientos intrusivos de TOC se centraría en un miedo específico, como fallecer en un accidente de coche o la pérdida de un familiar.

La angustia emocional que siente esta persona puede ser indescriptible, especialmente cuando está tan detallada. Los pensamientos intrusivos del TOC pueden convertirse en ansiedad social severa.

Al igual que el pensamiento negativo y la rumiación, los pensamientos intrusivos pueden estar vinculados a la depresión. Además, más del 25 % de los pacientes con TOC cumplen los criterios para un trastorno de abuso de sustancias (Journal of Anxiety Disorders, 2008).

Si sientes que tus pensamientos intrusivos están fuera de control y se han convertido en una condición más grave, es una buena idea obtener ayuda profesional. La terapia cognitivo-conductual tuvo mucho éxito para tratar con pensamientos obsesivos.

Cómo ganarle a los pensamientos intrusivos

1. Gana claridad acerca de tus valores principales

El primer paso es entender por qué estos pensamientos intrusivos te están molestando tanto. La razón podría ser un disparador.

Desafortunadamente, si alguien cerca de ti tose una de las primeras imágenes que viene a la mente es que tiene coronavirus, y ahora estás infectado. ¿Es esto un pensamiento intrusivo razonable?

Hay numerosas razones para que alguien tosa, también puede estar usando una mascarilla y tener las vacunas. Tomar un enfoque práctico ayudará a determinar si el disparador justifica el pensamiento.

Para aquellos pensamientos que te ciegan y no parecen venir de una ocurrencia lógica, considera si van en contra de tus valores.

Una imagen de ti hiriendo a otro humano podría estar fuertemente en contra de tus creencias, por lo que te molesta tanto. Para un asesino en serie sociópata, la imagen no va a tener el mismo impacto. Cuando puedas definir claramente tus valores fundamentales, entenderás por qué estos pensamientos causan una reacción tan fuerte.

2. Deja que estos pensamientos pasen a través de ti

No podemos bloquearlos o evitarlos. Fingir que no existen puede hacer que la mente le dé a los pensamientos más atención y esto será más difícil de superar. Para minimizar el efecto del pensamiento intrusivo, acéptalo, reconócelo y visualiza el pensamiento que pasa a través de ti a medida que avanzas.

3. Trata de no reaccionar al miedo o con miedo

Aunque difícil, es esencial que recuerdes que esto es solo un pensamiento y lo que piensas o imaginas no es una realidad. Si te imaginas a ti mismo como pobre y sin hogar, no significa que lo seas o que estés destinado a serlo.

Podemos sentir una inmensa cantidad de miedo de nuestros pensamientos intrusivos, pero no podemos dejar que el miedo nos controle para que terminemos haciendo algo que no es sensato.

Reconoce que solo porque este pensamiento apareció no significa que tengas que actuar en consecuencia. Toma un momento para algunas respiraciones lentas y profundas y con cada respiración, exhala ese miedo mientras liberas la tensión de tu cuerpo.

4. No tomes tus pensamientos intrusivos en serio

Estos no son mensajes de tu subconsciente describiendo tus deseos subyacentes. Son pensamientos que no puedes controlar y que no te hacen una mala persona.

Sentirse mal o incluso culpable por algo que no es la realidad y que no ha sucedido solo va a aumentar la tensión mental.

Recuérdate lo fácil que es dejar ir los pensamientos positivos. Te imaginas que vas a ganar la lotería; te dices a ti mismo que no va a suceder y sigues adelante sin más emociones. Practica esto con pensamientos intrusivos.

5. No cambies tu vida con base en tus pensamientos

He visto a la gente evitar los aeropuertos debido a imágenes aterradoras; fiestas, porque temen que van a hacer el ridículo; incluso conducir un coche, debido a los pensamientos de golpear a un peatón.

Las personas que cambian su forma de vivir con base en sus pensamientos intrusivos no van a detener los pensamientos. Solo viven una vida basada en temores, lo cual es desgarrador, ya que se pierden de mucho. Enfréntate a los pensamientos intrusivos en lugar de intentar ajustar tu realidad.

Cómo dejar de tomar en serio las opiniones de los demás

El peor consejo que he escuchado una y otra vez es "No tomes las cosas tan personalmente". Esa es una idea maravillosa, pero ¿dónde está el consejo? ¿Cómo puedo hacer esto? ¿No sería genial tener una capa más gruesa de piel y dejar que las opiniones de los demás reboten directamente? Para la mayoría de nosotros, no es tan fácil y es una gran causa de rumiación.

Así es como las opiniones de otras personas nos hacen pensar demasiado. Si mantienes la puerta abierta para alguien y no te lo agradecen, es irrespetuoso. Nuestra mente nos lleva a pensar que no somos dignos de respeto, lo que puede conducir a rumiar sentimientos de inutilidad. Si la gente te mira como si no valieras, quizá sea verdad.

Albert Ellis, el padre de Rational Emotive Behavior Therapy, te diría que no es la acción la que causa tus emociones, sino cómo interpretas la acción. Esta interpretación se basa en nuestras creencias.

Si tu creencia es que es cordial mantener una puerta abierta para los demás, entonces te sentirás molesto cuando no te lo agradezcan. Si no crees que es necesario mantener la puerta abierta para la gente, o reconocer que no todos comparten tu creencia, la acción no desencadenará las mismas emociones. La misma teoría se puede aplicar a casi todas nuestras acciones. Considera los siguientes actos y cómo tus creencias pueden diferir de las de otra persona:

- Compartir comida, artículos de oficina, información
- Devolver llamadas perdidas
- Ordenar después de usar algo
- Eventos familiares
- Cambiar la emisora en el auto de otra persona
- Beber lo último de la leche y no reemplazar ni disculparse

Tu pareja podría considerar como una gran molestia que siempre quieras que vayan a las comidas familiares. Puedes sentir que no le gusta tu familia o que no quiere pasar tiempo contigo.

Desde su punto de vista, creció en un hogar disfuncional y los eventos familiares le hacen pensar en una infancia que se perdió. No todos compartirán tus creencias y al entender esto, se vuelve más fácil no tomar sus acciones personalmente.

Recuerda que no todo lo que una persona dice está dirigido directamente a ti. Una de mis manías es la gente que tiene coches grandes, pero no puede aparcarlos. Si te mencioné esto y tienes un auto grande, no significa que he criticado tu estacionamiento. Es fácil tomar los comentarios generales y convertirlos en una crítica personal.

En lugar de tomar estos comentarios generales en serio y luego meditar sobre ello por el resto del día, puedes preguntar educadamente a la persona si el comentario estaba dirigido a ti. Sí, esto significará superar el miedo a ser criticado, pero ¿qué es lo peor que puede pasar?

Si el comentario estaba dirigido a ti, puedes decidir si está justificado o no. Si está justificado, puedes hacer una mejora. Si no, puedes recordarte a ti mismo que la opinión de otros no se basa en hechos, sino únicamente en su perspectiva. Es igual de probable que digan que no se trata de ti, y la rumiación se detiene en un instante.

La empatía es una gran ayuda aquí. Estamos atrapados en nuestras propias mentes y tratamos de superar nuestros propios problemas.

La gente puede abofetearnos, murmurar sobre nosotros, o incluso simplemente mentir. Tienes que sobreponerte y ser mejor persona y para hacer esto, no bebas de su veneno, sino en cambio entiende que podrían estar luchando con sus propios demonios.

Ellos tienen también probablemente pensamientos y temores negativos, problemas que tiran al fondo. No es justo ni correcto que se desquiten contigo, pero sus opiniones pueden ser una manifestación de sus propios problemas. La forma en que reaccionas solo puede impulsarlos a lastimarte más.

Toma decisiones sabias y resuelve problemas más rápido

Una queja común es que nuestra rumia crea neblina en nuestra mente: no hay claridad en nuestro pensamiento y esto tiene un efecto perjudicial en las capacidades de toma de decisiones. Es tentador envidiar a aquellos que son buenos resolviendo problemas. Confían en sus habilidades y la vida parece avanzar más sin todas las dudas.

Tomar decisiones es una habilidad aprendida. Algunos son naturalmente mejores que otros, pero eso no quiere decir que no puedas mejorar tus habilidades. No es que no puedas tomar una decisión, el problema es que tu exceso de pensamiento nubla tu juicio y te hace dudar de ti mismo.

No te digas a ti mismo que no pienses demasiado una decisión. En cambio, vamos a aprender a pensar de manera más inteligente para que podamos tomar la decisión correcta con confianza.

Digamos que tienes que tomar una decisión entre una presentación digital y una copia impresa de tu información. Todo el mundo usa lo digital, se ve más llamativo y profesional, pero percibes que una copia tangible de la información que los clientes pueden llevarse con ellos será más beneficiosa. Tus colegas te convencieron de hacer la presentación digital la última vez, y los resultados no fueron como tu jefe esperaba.

Hay mucho que depende de esta decisión y sientes que la presión aumenta. Para tomar cualquier decisión sabiamente, lo primero que hay que hacer es eliminar las emociones y centrarse en los hechos. Si no hay datos que apoyen una opción, entonces es una emoción. No quiere decir que no haya espacio para las emociones en la toma de decisiones, pero harán que tú rumies.

Sácate de la situación y observa el problema como un extraño. En este caso, podrías ver las cosas desde el punto de vista de tu jefe o del cliente. ¿Cuál sería la solución más beneficiosa para ellos? ¿Por qué tus colegas están tan en contra de la idea? ¿Es porque implica más preparación? Si es así, ¿cómo puedes superar esto?

Las decisiones sólidas se toman con base en conocimiento. Antes incluso de sopesar los pros y los contras de cada posible resultado, pregúntate si sabes lo suficiente. El conocimiento puede venir de una amplia gama de fuentes. Puedes encontrar que la investigación sobre los clientes te dirá más acerca de sus gustos, disgustos y valores.

Ser asertivo con tus colegas te da la oportunidad de escuchar sus pensamientos e ideas, y abrir nuevas perspectivas. Pedirle a tu jefe que te dé su opinión sobre la última presentación resalta los errores cometidos y las áreas de mejora.

Finalmente, toma un bolígrafo y un papel y anota los posibles resultados de cada una de sus opciones. Mira los peores y mejores escenarios para cada una. Una vez que hayas sopesado las opciones, ¿qué tiene más pros y contras?

Siempre establece un plazo para la toma de decisiones. Si realmente no puedes ver una opción clara, juega al juego 1, 2, 3. Sin pensamiento previo y sin demora en tu respuesta. Cuenta 1, 2, 3 y di la primera opción que venga a tu mente. Esto funciona mejor cuando alguien está contando y tú no lo esperas, y la respuesta debe ser dicha en voz alta. Aunque te falte confianza, eso no significa que tus instintos estén equivocados. El juego 1, 2, 3 da a tu intuición la oportunidad de brillar.

Ponerlo en práctica:

Sé que ya hay muchas ideas que pueden ayudar a eliminar la rumia, pero hay una idea final que me parece fascinante y los estudios demuestran su eficacia. El autodistanciamiento, y más específicamente, el Efecto Batman, son métodos que podemos usar para poner distancia entre nosotros y nuestros problemas o desafíos. Esta distancia nos permite ver las cosas desde una perspectiva diferente.

El distanciamiento es la práctica de pensar en segunda persona o usar tu propio nombre. En lugar de decir "Me gustaría poder trabajar más duro" dirías "Te gustaría poder trabajar más duro" o "*Tu nombre* desea que puedan trabajar más duro". Cuando usamos pronombres que no sean yo, tiene un efecto similar a dar consejos a un amigo.

Muchas personas exitosas, como Beyoncé y Adele, tienen personalidades alternativas que han creado. Cuando se imaginan a sí mismas como estas personas, son más capaces de hacer frente al nerviosismo y el estrés.

Investigadores de la Universidad de Minnesota (2016) pidieron a niños de 4 a 6 años que trabajaran en una tarea repetitiva durante 10 minutos. Tenían la opción de tomar descansos si querían. Se les pidió a los niños que repitieran una de las tres preguntas siguientes mientras trabajaban:

- ¿Estoy trabajando duro?
- ¿Está (nombre propio) trabajando duro?

- ¿Está (nombre de su personaje favorito, por ejemplo, Batman o Dora la exploradora) trabajando duro?

Los que usaron su nombre tuvieron un mejor desempeño que los que usaron la primera persona. Pero fueron aquellos que se imaginaron como su personaje favorito los que tomaron menos descansos, trabajaron más duro y disfrutaron más de la actividad. De hecho, estos niños pasaron un 23 % más de tiempo en la tarea en cuestión en comparación con los niños que hablaron en tercera persona.

La próxima vez que la rumia asome la cabeza, intenta distanciarte o crear tu propia persona alternativa para que tengas un poco más de espacio para pensar sobre la situación de una manera diferente, y a menudo más racional.

Hasta ahora, hemos pasado la mayor parte del tiempo centrándonos en estrategias para vencer el pensamiento negativo y la rumia. Ahora tienes una gran variedad de consejos y trucos, respaldados por la ciencia. Sin embargo, con la tensión y la presión que enfrentamos hoy, las altas cantidades de estrés pueden deshacer rápidamente el trabajo que hemos hecho. En el próximo capítulo, veremos algunos consejos importantes para expulsar al estrés.

PASO 5: RECONFIGURAR TU CEREBRO, DOMINAR TU MENTE Y REDUCIR EL ESTRÉS

Sin querer bombardear tu mente con datos, siento que es crucial entender cuánto estrés nos afecta. Debido a que todos parecemos estar bajo estrés, casi se ha normalizado, en lugar de ser algo excepcional. En realidad, nuestros cuerpos no están diseñados para lidiar con el estrés constante, y estamos empezando a ver lo dañino que es esto.

Algunas de las estadísticas a continuación son impactantes, pero tal vez exactamente lo que tenemos que darnos cuenta es que tenemos que empezar a actuar hacia un estilo de vida menos estresante.

- Las personas entre 30 y 49 años son las más estresadas en EEUU
- Se ha diagnosticado al 52 % de la generación Z con problemas de salud mental
- El 83 % de los trabajadores de EEUU sufre de estrés laboral

- Un millón de personas cada día pierde su trabajo debido al estrés

- El ausentismo por depresión le cuesta a las empresas 51.000 millones de dólares al año.

- El costo anual de salud causado por estrés asciende a 190.000 millones.

- Hay 120.000 decesos anuales vinculados al estrés en EEUU.

(The American Institute of Stress, 2019)

¡Nadie de nosotros quiere ser parte de ninguna de las estadísticas anteriores! Por lo tanto, es esencial que tomemos el control del estrés y lo veamos por lo que es, combustible para la infelicidad, la negatividad y los problemas de salud y no algo que podamos permitirnos simplemente aceptar.

Qué nos dicen los neurocientíficos

Así que estás estresado y sientes que estás a punto de explotar. Algo tiene que ceder, y no quieres causar una escena o un colapso. Tenemos cuatro destructores de estrés instantáneos que tal vez conozcas, o no.

El problema es que, debido a que son tan simples, es posible que consideres que no son suficientemente poderosos para trabajar. Por esta razón, he incluido la investigación neurocientífica para ayudar a convencerte.

1. Tensa y relaja los músculos faciales

Hay un bucle de comunicación entre el cerebro y el cuerpo. Cuando la materia gris en el cerebro se estresa, varios músculos se tensan. Una vez que los músculos están tensos, se envía un mensaje al cerebro para hacerle saber que el mensaje ha sido recibido.

Si has intentado pedirle a tu cerebro que deje de estresarse y no ha funcionado, necesitas romper el ciclo haciendo que tu cuerpo le diga a tu cerebro que ya no estás estresado. Liberar los músculos faciales que estaban tensos envía ese mensaje.

Como te puedes imaginar, los músculos faciales son los mejores para usar porque están más estrechamente relacionados con nuestras emociones. Dicho esto, tus manos, estómago y, más sorprendentemente, tus glúteos también enviarán los mensajes correctos al cerebro (bakadesuyo.com).

2. Respiración rápida

Sí, esto te sorprenderá porque generalmente nos centramos en los beneficios de la respiración lenta, que también se puede utilizar para ayudar a reducir el estrés y sentirse más tranquilo. Pero ¿qué pasa cuando necesitamos estar más activos, y esa adrenalina va a favorecernos? La respiración profunda (incluso utilizada por los reclutas del Navy Seal) activa el sistema nervioso parasimpático, necesario para conservar la energía.

Por el contrario, el sistema nervioso simpático impulsa nuestra respuesta de lucha o huida. Normalmente, intentaríamos controlar la respuesta de lucha o huida. Pero no olvidemos que hay algunas situaciones en las que puede favorecernos. Tal vez, necesitas esa energía para marcar esa lista de tareas pendientes o entusiasmarte con un desafío.

3. Sacude el nervio vago

El nervio vago es el nervio más largo del cuerpo. Se extiende desde el cerebro hasta el intestino grueso y es responsable de una serie de funciones corporales clave. Para nuestro objetivo, en particular, reduce la frecuencia cardíaca y controla el estrés y la ansiedad. Si este nervio está dañado, puedes padecer una menor capacidad de atención e incluso depresión (Dra. Shelly Sethi, s.f.).

El nervio vago pasa alrededor de los músculos de la garganta y está unido a las cuerdas vocales. Cantar puede sacudir el nervio vago. Alternativamente, puedes mojarte la cara con agua fría, un ejemplo clásico de una técnica tradicional que tal vez descartaste previamente.

4. Disfruta la música

Si pones tus canciones favoritas de siempre, estarás tentado a cantar, despertando el nervio vago. Pero la música también puede ayudar a los niveles de estrés de otras maneras. La música involucra una gran parte del sistema límbico que es responsable de nuestras respuestas emocionales. La música también aumenta el ritmo cardíaco y, ciencia aparte, conoces esas canciones que te hacen sentir mejor sin importar el estado de ánimo que tengas.

Hacer música tiene un efecto más fuerte en el sistema límbico. Sin embargo, no todos compartimos este talento. Recuerda que el sonido es la clave: si no tocas un instrumento, bailar también trae otros beneficios, como el ejercicio que libera endorfinas y, si quieres bailar con tus amigos, el impacto positivo de las interacciones sociales.

Desde la experiencia personal y los comentarios de los clientes, estos cuatro trucos cerebrales son extremadamente eficaces. Naturalmente, si estás en medio de una reunión, probablemente no quieras empezar a hacer caras extrañas o aburrir con tu canción favorita, pero apretar los músculos del trasero es una alternativa sutil.

Si comienzas a sentir que el estrés se acumula antes de un evento importante o incluso mientras estás sentado en el escritorio, ir al baño y mojarte la cara con agua fría podría cambiar tu ánimo y los resultados siguientes. Cualquiera de estas soluciones solo toma algunos minutos de tu tiempo.

Cómo desempolvar tu mente

"El desorden no es más que decisiones pospuestas".

— *BARBARA HEMPHILL*

¿Qué es el desorden en la mente? No es necesariamente un caso de pensamiento negativo. Es todo aquello en nuestra mente que tiene poco o ningún propósito. A menudo, este desorden está lleno de recuerdos del pasado, errores que hemos cometido y a los que nos aferramos, o incluso esas cosas que están fuera de nuestro control. Son las cosas que necesitamos hacer y las preocupaciones sobre el futuro.

Básicamente, es todo lo que nos impide concentrarnos en la tarea en cuestión y en el presente. Este zumbido excesivo en nuestras mentes puede afectar en gran medida nuestro estado de ánimo, aumentar los niveles de ansiedad y conducir a la depresión. Al igual que los pensamientos negativos, el desorden es muy difícil de apagar.

Comprende que hay un vínculo entre el desorden físico y mental. Los investigadores pasaron tres días recorriendo los hogares de parejas de doble ingreso. Las mujeres que usaban expresiones como *desorden* e *inacabado* tenían niveles más altos de depresión a lo largo del día. Las mujeres que usaban palabras más positivas, como *descanso* y *restauración*, eran más felices en general (Saxbe & Repetti, 2009).

En el capítulo 3 analizamos cómo ordenar tu hogar. Así que, si no has empezado, ahora es un buen momento.

La escritura es una herramienta extremadamente poderosa para ordenar la mente. Escribir listas de tareas pendientes antes de ir a dormir fomenta una noche de descanso sin preocuparse por lo que se necesita hacer. El vaciado cerebral es una técnica rápida que se puede utilizar para ordenar en un momento determinado. Por supuesto, escribir tu diario cotidianamente te permitirá remover la suciedad de cada jornada.

La forma en que manejes tus decisiones afectará la cantidad de desorden que almacena tu cerebro. Como dijo Barbara Hemphill, cada decisión pospuesta se va a añadir a la suciedad. Algunas de nuestras decisiones deben ponerse en piloto automático. Suena un poco aburrido, pero ¿con qué frecuencia reflexionas sobre qué cenar?

Cuando tienes un plan semanal, no hay necesidad de pensar en ello todos los días. Lo mismo se puede decir de la ropa, tareas del hogar, rutinas de ejercicio, y así sucesivamente. La rutina es nuestra mejor amiga, pues reduce muchas de las decisiones simples.

Para decisiones más difíciles, no las retrases. Cuanto antes abordes cada una, menos desorden tendrás en tu mente.

• Escribe el problema y la mejor salida.

• Haz lluvia de ideas hasta obtener al menos tres respuestas para llegar a la salida.

• Confecciona una lista de los pros, contras y consecuencias de cada una.

• Desarrolla cada solución en tu mente, busca las herramientas o recursos que necesitarás y los posibles escenarios para cada una.

• Elimina la peor solución.

• Revisa los pros y las consecuencias del resto de cada solución, con base en el desarrollo que hiciste de cada una.

• Si aún la solución no es clara, ¡recuerda el juego de 1, 2, 3!

Cuando desempolvemos nuestros hogares, vamos a empezar con un área y trabajar a nuestra manera, poco a poco. No tiene sentido desgastar nuestra energía e intentar realizar varias tareas.

Toma el mismo enfoque con tu mente. Visualiza el desorden, empuja todo a un lado y céntrate solo en una cosa. Cada vez que el resto de ese desorden comience a interferir en el espacio libre, fortalece la barrera para que la única tarea permanezca sola.

Otro consejo es no dejar que haya tanto desorden en tu mente, en primer lugar. Hay una variedad de fuentes de desorden, por ello debemos limitar nuestra exposición, o simplemente cortarla por completo. Presta atención a cómo te sientes después de visitar las redes sociales o ver las noticias. ¿Te sientes más feliz? ¿Eso suma a tu calidad de vida? ¿Es necesario? Si la respuesta es no, estás permitiendo el desorden.

Una vez que hayas desechado todo lo que no es necesario y limitado la información que entra, es el momento de priorizar el desorden que queda. Esto puede requerir un vaciamiento cerebral final, que luego se puede organizar en una lista que comience con el más importante. También es posible que desees hacer tiempo para un volcado de cerebro semanal o incluso diario y priorizar entre el desorden restante.

Reconecta tu cerebro para superar los patrones de pensamiento estresantes

Hablamos brevemente sobre la neuroplasticidad, pero para reconectar tu cerebro, primero tienes que entender exactamente cómo funciona. Hay una expresión común entre los neurólogos: "las neuronas que se disparan juntas se unen". Esto significa que, cada vez que encendemos un pensamiento, las neuronas se unen creando nuevas conexiones y recuerdos basados en nuestras experiencias.

Piensa en ello como si fuera Play-Doh. ¿Alguna vez tu hijo, o tú, han pegado dos colores juntos y luego se arrepintieron porque se dieron cuenta que no se separarían? Cada vez que nos estresamos por algo, más Play-Doh se queda pegada.

Los científicos solían creer que después de la pubertad el cerebro estaba completamente formado y no cambiaría. La plastilina está destinada a permanecer igual. Gracias a tecnologías, como la resonancia magnética, ahora hemos descubierto que podemos desarrollar nuestros cerebros y volver a cablearlos. ¡La plastilina no tiene que estar condenada!

La pandemia ha causado mucho estrés para, probablemente, la mayoría del mundo, pero hubo algunos resultados buenos. Durante la cuarentena, muchas personas se dedicaron a aprender nuevos pasatiempos en casa. Cuanta más gente practica estos pasatiempos, más fuertes se vuelven las nuevas conexiones en el cerebro, pues se crean redes neuronales.

Volver a conectar el cerebro para superar el estrés suena más complicado de lo que realmente es. Una de las maneras más simples para comenzar hoy es tomando un nuevo pasatiempo. Será más beneficioso si el hobby implica actividad, pero no descartes otros.

En 2015 una investigación publicada en NeuroImage mostró que el arte visual, como la pintura y el dibujo, altera la estructura y función neuronal. Aprender un nuevo instrumento musical también es excelente para la neuroplasticidad, porque requiere procesos cognitivos complejos que reorganizan las redes neuronales.

Aquí hay algunas ideas extra sobre actividades para hacer que ayuden a desarrollar tu cerebro para que los patrones de pensamiento estresantes se reduzcan y controlen:

1. Actividades de práctica mental

En algunos casos, no siempre es posible realizar la actividad que nos gustaría. Una persona que ha tenido un derrame cerebral podría no ser capaz de caminar, pero mentalmente imaginando el proceso, las neuronas todavía se están activando.

2. Aprende un nuevo idioma

Aprender idiomas aumenta la materia gris y blanca del cerebro. La materia gris está asociada con su atención, memoria y emociones.

La materia blanca ayuda a diferentes áreas de tu cerebro a comunicarse y puede ayudarte a resolver problemas. Los estudios demuestran que el aprendizaje de un nuevo idioma aumenta la densidad de la materia gris del cerebro (Lindgren et al., 2012).

3. Arriba con los rompecabezas

Los crucigramas, las búsquedas de palabras y los sudokus mantienen la mente activa. Estás constantemente aprendiendo y activando tus neuronas.

Un estudio que involucró a 19.100 personas mostró que aquellos que hicieron rompecabezas tenían una mejor función cerebral, incluso a la función cerebral equivalente de alguien 10 años más joven (Brooker et al., 2019).

4. El estrés daña la neuroplasticidad

Entiende que los altos niveles de estrés durante un largo período de tiempo pueden afectar a la neuroplasticidad: el cerebro es aproximadamente el 2 % de nuestro peso corporal, pero requiere alrededor del 20 % de nuestra energía.

El estrés crónico utiliza energía que podría usarse para crear nuevas neuronas. Cuando se presenten patrones de pensamiento estresantes, considera que estás restringiendo la capacidad de tu cerebro para crecer.

Deepak Chopra, un defensor de la medicina alternativa, director ejecutivo del Centro de Medicina Mental-Corporal de Sharp HealthCare y cofundador del Centro Chopra para el Bienestar, tiene una práctica diaria de 5 minutos para reducir el estrés y ganar éxito.

Explica que la neuroplasticidad combina la neurogénesis (el crecimiento de nuevas neuronas) y la sinaptogénesis (las nuevas conexiones entre neuronas).

La meditación contemplativa, la autorreflexión y hacer preguntas significativas pueden mejorar la neuroplasticidad.

Estos tipos de preguntas incluyen:

- ¿Quién soy?
- ¿Qué deseo?
- ¿Cuál es mi propósito?
- ¿Cuál es mi talento especial?
- ¿Cuál es mi pasión?
- ¿Qué tan autentico soy?
- ¿Cuáles son mis responsabilidades?

Al tomarte 5 minutos al día para reflexionar y considerar las respuestas a preguntas como estas, puedes crear nuevas neuronas y nuevas conexiones.

Chopra también dice que debe practicarse todos los días durante 6 semanas para que se convierta en un hábito de por vida.

Sé el maestro de tus pensamientos

Por mucho que nos gustaría pensar que somos el maestro de nuestros pensamientos, hay algunos personajes adicionales que son excelentes para tomar el control.

Está el crítico interno: el personaje que te compara con los demás, escucha las opiniones de los demás y cree en tus dudas y culpas interiores.

El que se preocupa está obsesionado con lo que sea y a menudo es irracional.

El reactor es peligroso, ya que este personaje no tiene control de impulsos y desencadena emociones negativas, como la ira y la molestia.

Por último, ¡el privador de sueño es un completo provocador de rumiación!

Para convertirte en el maestro de tus pensamientos, necesitas primero reconocer que estos personajes existen. Necesitas elevarte por encima de ellos y mantenerlos a todos en su lugar.

De los cuatro personajes, el crítico interno es el que domina. Controla a este y los otros tres caerán. Veremos al crítico interno con más detalle en la siguiente sección.

Echemos un vistazo a cómo ganar el control de los otros tres.

1. Controlar al que se preocupa

Si el que se preocupa está en alerta alta por períodos prolongados de tiempo, tu salud está en riesgo. La respuesta de lucha o huida está sobrecargada de trabajo, y puedes experimentar disnea, aumento de la frecuencia cardíaca y tensión en los músculos.

Hay dos maneras de calmar al que se preocupa. Puedes dirigirte a un poder superior, si crees en él, o dirigirte al que se preocupa.

Recuerda que un poder superior no necesariamente significa Dios. Para algunos, podría ser Buda, un espíritu o una energía.

Para otros, es ciencia, naturaleza, o una eternidad completamente diferente, la que desees crear y nombrar.

Si te preocupa que tus padres se enfermen, agradécele a tu poder superior por cuidarlos, por mantenerlos seguros y saludables.

Alternativamente, dirígete al que se preocupa:

Querido personaje interno que se preocupa:

Gracias por estar tan atento sobre mis padres, pero ya no es necesario. Me haré cargo del asunto ahora. Los llamaré, me aseguraré de que estén bien y haré todo lo posible para que estén a salvo. Ya no es tu responsabilidad.

Estas técnicas parecen leves, pero funcionan. Te estás separando de la preocupación y le estás diciendo al cerebro que todo está bajo control.

Mientras apuntas a algo o a alguien, tu mente no está ocupada con la preocupación.

2. Dominar al reactor

El que se preocupa y el reactor se presentan de manera similar: con falta de aire, aumento de la frecuencia cardíaca y tensión. Es necesario determinar primero qué personaje se está apoderando de la mente.

¿Es una preocupación aburrida y constante que se siente más como un dolor, o es fuerte, caliente y contundente?

Si es el reactor, es esencial que detengas a este personaje de inmediato. No hay tiempo para ir al baño y echarte agua en la cara. Por definición, este carácter reaccionará.

Cada vez que sentimos que el reactor toma el control, tenemos una fracción de segundo para decidir si este personaje ganará o no. Y puede que no te apetezca, pero tienes el control de esto.

Digamos que tu jefe te está humillando públicamente y estás a punto de explotar. En esa fracción de segundo, puedes enojarte o probar el método de respiración Buteyko.

Inhala y exhala con naturalidad. Una vez que hayas exhalado, mantén la respiración durante el mayor tiempo posible. Aprieta tu nariz, si crees que esto ayuda. Cuando necesites respirar, suéltate la nariz y respira naturalmente.

Este método de respiración ayuda a reequilibrar el oxígeno y el dióxido de carbono en su cuerpo, particularmente si has estado respirando demasiado rápido.

3. Gobernar al privador de sueño

Debido a que el privador de sueño causa rumiación, puedes revisar el capítulo 4, "Técnicas para detener la rumia y dormir mejor", donde analizamos cómo una rutina antes de acostarte puede ayudar a relajarte. La falta de sueño también es provocada por otros tipos de pensamientos.

La planificación es increíble. Demuestra que esperamos con ansias las cosas en el futuro y que estamos tratando de administrar nuestro tiempo de la manera más eficaz. Sin embargo, para algunas personas, esta planificación se vuelve compulsiva y el planificador interno en nosotros conduce a la privación del sueño. Esto ocurre cuando es necesario planificar cada minuto del día. Cuando las cosas no van según lo planeado, sentimos una cantidad abrumadora de estrés.

Para no dejar que el planificador interno se haga cargo de tu sueño, trata de crear una rutina semanal y apégate a ella tanto como sea posible.

Como parte de esta rutina, asegúrate de incluir algunos minutos por contratiempos. Si tardas 10 minutos en llegar al trabajo desde la escuela, agrega un plus de 5 minutos en caso de tráfico. Esto aliviará la presión de no cumplir con el plan, si surge algo inesperado.

También deberías intentar reservar algo de tiempo libre los fines de semana. Este tiempo de inactividad se puede utilizar en caso de que no hayas podido completar todo el plan, o simplemente para relajarte.

Estrategias para superar al crítico interior

Nuestros críticos internos son expertos en la conversación negativa. Son los nombres y los insultos que nos decimos a nosotros mismos; cuando nos regañamos por las cosas que hacemos o incluso los pensamientos que tenemos. Nuestros críticos internos deben ser detenidos inmediatamente porque pueden salirse de control velozmente.

Por esta razón, necesitamos soluciones rápidas para interrumpir el pensamiento crítico particular que experimentas. Podemos hacer esto mediante el uso de algunas de las técnicas que hemos visto: moviendo una banda elástica en la muñeca, cambiando el entorno, o de actividad.

La visualización y la creación de un personaje para tu crítico interno también te ayudarán. Si puedes imaginar a tu crítico interno como un personaje, puedes abordarlo. Dile al personaje que haga las valijas o que ya sido suficiente. Cualquiera que sea la conversación negativa, sustitúyela por una positiva. Tu crítico interior diría "Fuiste un idiota". Tu frase de reemplazo debería ser "Cometiste un error, y vas a aprender de esto".

No puedes creer lo que te dice tu crítico interior. No es fácil hacer esto porque aún necesitas mejorar tu autoestima. Con una mayor autoestima, las palabras del crítico interno pueden ser descartadas porque te sientes más seguro de ti mismo, tus habilidades y las decisiones que tomas.

Aún así, hasta este momento, analiza lo que este personaje dice y decide si tiene la evidencia de respaldo. Si no hay evidencia, no hay base para sus palabras.

Finalmente, considera lo que pasaría si tu crítico interno tuviera razón. ¿Cuál sería el resultado si tomaras esta persona y dijeras "¿Y qué?", o "¿y?"? Tu crítico interno te está diciendo que te avergonzaste totalmente con esa declaración política que hiciste. ¿Y? ¿Todos tus amigos van a abandonarte porque expresaste tu opinión, o simplemente seguirán adelante?

Hiciste una mala broma en el trabajo. La gente no se reía, pero ciertamente no vas a perder tu trabajo por eso. Cuando desafiamos la voz interior de esta manera, descubrirán que rápidamente se apaga porque no hay respuesta.

No olvides que puedes utilizar al crítico interno a tu favor. A veces, y solo a veces, puedes aceptar lo que esta voz dice. Tal vez no tengas la habilidad para lograr cierta tarea. Ya hemos aprendido que esto se puede cambiar. No reflexiones sobre lo que puedes hacer, sino sobre cómo puedes mejorarte.

Solo un rápido recordatorio de que, de los cuatro personajes que intentan controlar nuestros pensamientos, el crítico interno es el titiritero. La conversación negativa te hará preocuparte, perder el sueño y reaccionar con ira o frustración. El crítico interno en nosotros destruye cualquier autoestima que nos queda. Y si empiezas a construir algo, si el crítico interno todavía tiene el control, te derribará de nuevo.

Manejo del estrés en 10 pasos

El manejo del estrés es más que solo nivelar los niveles de este. Se trata de reconocer lo que desencadena el estrés y usar técnicas para reducir los efectos. También se trata de aceptar el hecho de que nunca estaremos completamente libres de estrés. En primer lugar, porque hay demasiadas cosas en el mundo y nuestras vidas para que esto suceda. En segundo lugar, una pequeña cantidad de estrés puede ser bueno para nosotros.

Ha habido numerosos estudios sobre los efectos negativos del estrés. Sin embargo, en 2016, Daniela Kaufer, Elizabeth Kirby y sus colegas de la Universidad de California, Berkeley, descubrieron que el tipo y la cantidad de estrés adecuados pueden ayudarnos.

Sus estudios en ratas mostraron que el estrés agudo de corta duración duplicó la creación de nuevas neuronas en el hipocampo. Estas son las mismas neuronas que se generan cuando aprendemos nuevas habilidades (recuerda la neuroplasticidad). Las ratas también se desempeñaron mejor en una prueba de memoria. Por lo tanto, la cantidad correcta de estrés durante un corto período de tiempo puede mejorar el cerebro y mantenernos más alerta.

Esta es la razón por la que necesitamos manejar nuestros niveles de estrés hasta un punto en el que pueda brindar algún bien. Imagina que te estás preparando para una fiesta. Sin estrés, no tendrías motivación para hacer las cosas con urgencia. Demasiado estrés te haría sentir abrumado, hasta el punto de correr sin sentido y sin avanzar. La cantidad correcta de estrés te da la descarga de adrenalina para lograr tus objetivos.

Antes de implementar cualquiera de las técnicas de manejo del estrés, piensa un tiempo sobre qué desencadena tu estrés. No te sorprendas si tienes una lista y vas agregando cosas durante un día o dos. A veces, no recordamos los desencadenantes del estrés, hasta que realmente ocurren.

Siendo realistas, hay potencialmente cientos, incluso miles, de desencadenantes de estrés dependiendo del tipo de persona. Los más comunes son la familia, el trabajo, las finanzas y el cambio. Dicho esto, cosas como el tráfico, el coronavirus, una casa desordenada, y tantas otras cosas podrían ser suficientes para empezar a sentir la tensión.

Una vez que tengas la lista de factores estresantes, puedes comenzar a reconocer las señales de estrés para cada uno. ¿Sientes pánico o sudoración?, ¿tienes dolores de cabeza o dolores de estómago, sientes mareos, etc.? Al conocer las señales de estrés, puedes comenzar a implementar estrategias para controlarlo.

- **Reduce el sonido ambiental:** ya sea que se trate de la TV o de que estés en un lugar lleno de gente, trata de reducir el sonido ambiente. Los estímulos continuos pueden empeorar tu estrés.

- **Habla acerca de la causa de tu estrés:** si alguien hace algo que te irrita, dale a saber eso educadamente. Volver a casa y encontrar un montón de platos cuando dejaste todo limpio es molesto. Que la gente tome cosas de tu escritorio y no las devuelva te impide hacer el trabajo.

- **Automasaje:** comienza con la mano izquierda, toma el pulgar derecho y el dedo índice y colócalos en la parte superior e inferior de la base del pulgar izquierdo. Frota el pulgar desde la base hasta la punta y repite lo mismo para cada dedo y luego la mano derecha.

- **Encuentra un parque:** tan solo 10 minutos en un entorno natural pueden reducir los efectos del estrés mental y físico y hacerte sentir más feliz (Cornell University, 2020).

- **Ayuda a otros:** una investigación de la Facultad de Medicina de la Universidad de Yale (2015) encontró que ayudar a otros puede mejorar nuestro estado de ánimo general. Podría ser un amigo, un compañero de trabajo, o incluso simplemente mantener la puerta abierta para alguien.

- **Toma una siesta poderosa:** una breve siesta de 10 a 20 minutos puede reducir la hormona del estrés y también el cortisol.

- **Abrazos y besos:** abrazar a alguien o dar besos puede reducir los niveles de cortisol, particularmente para las mujeres. Si tienes la suerte de estar con esa persona especial, besar también puede darte una explosión de adrenalina. También obtienes una oleada de hormonas felices, como la dopamina y la serotonina.

- **Usa goma de mascar:** los estudios aún no han producido resultados concluyentes sobre los efectos de la goma de mascar y el estrés. Sin embargo, el ejército de EEUU ha incluido la goma de mascar en las raciones de combate como una forma para que los soldados manejen el estrés desde la Primera Guerra Mundial.

- **Huele las rosas:** tal vez no las rosas, pero la aromaterapia es muy eficaz para el manejo del estrés. Ciertos olores pueden alterar la actividad de las ondas cerebrales y reducir las hormonas del estrés. Experimenta con diferentes aromas, ¡quizá te guste algo novedoso!

- **Agradece:** comienza el día pensando en tres cosas por las que estás agradecido, mantén una pizarra magnética en el refrigerador y deja mensajes de gratitud o lleva un diario de gratitud. Las personas más agradecidas tienen mejor salud mental y menos estrés (Valikhani et al., 2018).

Tal vez te preguntas por qué no he mencionado a las técnicas más obvias del manejo de la tensión; como la meditación, el ejercicio y una dieta sana. Todas estas cosas son cruciales, pero prefiero ver este tipo de actividades como el autocuidado que conduce a un estilo de vida menos estresante. En el capítulo 7 repasaremos las estrategias para cuidar de nosotros mismos.

Ponerlo en práctica:

Si bien tienes una multitud de opciones para reconectar tu cerebro y reducir el estrés, si te cuesta tomar decisiones, más opciones no te ayudarán. Además, cuantas más opciones tengas, más fácil será renunciar a una y cambiarla por otra.

Por eso, para poner en práctica este capítulo, vamos a crear un kit de herramientas personalizado con una técnica de cada sección. Así es como comencé a practicar:

➔ Lo que dicen los neurocientíficos: me encantó la idea de echarme agua en la cara. Entender cómo funciona esto me hizo creer más en los efectos.

➔ Reconectar el cerebro: soy un poco fan del sudoku, pero nunca encontré tiempo para hacerlos. Cada mañana, con mi café, hice un rompecabezas rápido.

➔ Dominando mis pensamientos: Sentí que, de los personajes, el que se preocupa era el dominante. Así que creé una persona y aprendí a distanciarme de ella.

➔ Mi crítico interno: Quería un enfoque más asertivo, así que elegí “Y qué”.

➔ Manejo del estrés: Me gustó la idea de la naturaleza y el chicle.

Una vez que hayas elegido uno de cada sección, quédate con ellos durante al menos unas semanas y mantén una nota de los cambios que experimentes. Si después de unas semanas no sientes los beneficios, toma otra opción.

Todo está bien y es un buen aprendizaje para superar el pensamiento negativo, la rumia y controlar el estrés. Pero ¿qué pasa si es otra gente la fuente continua de tus problemas de salud mental? En el próximo capítulo echaremos un vistazo a algunos de los comportamientos de otros que se suman a nuestras dificultades y qué hacer cuando el pensamiento negativo se vuelve más serio.

PASO 6: TIRAR LA NEGATIVIDAD, TOXICIDAD Y LA AGRESIÓN PASIVA COMO SI FUERAN ZAPATOS GASTADOS

Digamos que has estado trabajando mucho en algunas de las técnicas y estás empezando a ver algunas mejoras. De repente, un factor del mundo exterior viene y arruina las cosas. No sientes que has vuelto al punto de partida, sino que todo empeoró.

Cualquier retroceso con el progreso que hagamos va a afectar nuestra confianza y nos hará dudar de nuestras capacidades para seguir adelante. Nunca olvides que, solo porque hayas tenido un revés, no significa que tus estrategias no estén funcionando. No tienes que empezar desde cero. Necesitas controlar los pensamientos negativos para que no se desplacen en espiral y te hagan permanecer atrapado en este revés. Es necesario actuar de inmediato.

Estos reveses son a menudo debido a factores externos. Tal vez finalizaste una relación o perdiste a un ser querido. O hay una persona o situación en tu vida que está bloqueando tu progreso hacia lo positivo.

Entonces, ¿qué haces cuando tu casa es mucho más segura que enfrentarte al mundo? ¿o cuando Marcus de contabilidad no deja de complicar?

Dejamos este capítulo para el final porque estos son los obstáculos más desafiantes que necesitamos enfrentar al superar la negatividad. Esto es porque no se trata solo de lidiar con tus demonios, se trata de superar cosas que están fuera de tu control.

Con lo que has aprendido hasta ahora, sentirás mayor control de tus emociones y patrones de pensamiento. Estos son nuestros fundamentos porque, para lidiar con factores externos, tienes que sentirte más fuerte, tanto con tu pensamiento negativo como con otras condiciones, como la ansiedad y la depresión.

Veamos a Marcus de contabilidad como ejemplo. Antes del capítulo 1, Marcus constantemente hacía bromas sobre tus habilidades, inteligencia o incluso tu apariencia. Habías escuchado, tomado en serio y rumiado sus palabras.

Ahora, sabes que primero debes reflexionar sobre lo que dijo Marcus y determinar si hay algo de verdad en ello. Practicaste las técnicas, entonces el pensamiento negativo no forma espiral y tú estás a cargo del estrés. ¡Pero Marcus no se detiene!

Ahora que estás en un mejor lugar mental, es hora de trabajar en Marcus. No puedes controlar lo que otras personas hacen, pero puedes controlar cómo reaccionas.

Cómo triunfar sobre la ansiedad social

Solo en los EEUU hay aproximadamente 15 millones de personas que sufren de ansiedad social (Anxiety &

Depression Association of America, 2020). Al principio, se podría pensar que la ansiedad social es solo un caso extremo de timidez.

Las personas tímidas se ven tranquilas, tal vez se sonrojan con facilidad y parece que no están interesadas en nuevas amistades. La ansiedad social es una fobia de cualquier tipo de interacción social. No es que no quieran hacer amigos, ¡es que no pueden!

Una gran parte de la ansiedad social será no querer ir a lugares públicos por miedo a hacer el ridículo o ser juzgado.

Puede llegar al punto donde la gente no puede relajarse, comer o hablar naturalmente frente a los demás. Puede afectar las relaciones, evitar promociones en el trabajo y evitar que vivas una vida plena.

No cabe duda de que la ansiedad social ha aumentado considerablemente desde la pandemia. El número real de personas podría ser mucho mayor que 15 millones teniendo en cuenta los que no han sido diagnosticados.

El miedo a cualquier contacto con las personas ha hecho que incluso aquellos sin ansiedad social reconsideren si interactúan con otros. Para aquellos que ya estaban aterrorizados de la sociedad, solo se ha confirmado el miedo.

Cuando se trata de enfermedades, coronavirus u otros, es necesario atender a tus circunstancias personales y el modelo mental de probabilidad. Para las personas que están vacunadas, las posibilidades de enfermarse gravemente se reducen considerablemente. Si usas una mascarilla, el contagio de coronavirus se reduce abruptamente. Combinado con el distanciamiento social, el riesgo es muy bajo.

Cuando surge una fobia, nuestro cerebro irracional a menudo dominará cualquier ciencia o lógica que intentemos alimentar. Pregúntate sobre las causas de tu ansiedad social, porque nada es blanco o negro.

Dos personas pueden tener ansiedad social. Una tiene miedo de contraer un virus mortal, la siguiente podría sentirse asfixiada en un grupo de personas, sea durante la pandemia o no. Un tercero podría no estar preocupado por enfermarse, pero congelarse ante la idea de una entrevista.

El cuarto sabe que hay algo mal pero no puede entender por qué aparecen los siguientes síntomas:

- Aumento de la frecuencia cardíaca, falta de aliento, sudoración
- Temblores
- Lagunas mentales
- Evitas preguntas
- Mareos
- Arcadas o vómitos
- Pesada autopercepción
- Ausentismo laboral o escolar
- Preocupación excesiva ante un acontecimiento
- Depender del alcohol o las drogas para enfrentar una situación social

Cada vez que empieces a advertir estos síntomas que surgen cuando estás en situaciones sociales, toma nota de tu entorno y los posibles desencadenantes.

Haz dos listas: una para las cosas que te ponen extremadamente incómodo y otra para las situaciones sociales que son imposibles.

Como vimos antes, es esencial cuestionar estos temores. Con la lista de situaciones que provocan tu ansiedad, anota el peor escenario realista. Cuando decimos realista, es porque nuestros temores podrían soplar el peor de los casos fuera de proporción.

Tu miedo podría ser una reunión, y el peor de los escenarios podría ser que tu gerente te critique frente a los clientes. No sucederá, porque sería poco profesional por parte del gerente. Un escenario realista, en el peor de los casos, es que cometas un error.

Pensar en el peor de los casos puede parecer como pensar en lo negativo. Pero tenemos que apreciar que pensar activamente en el peor escenario de nuestros temores nos permite prepararnos para una solución. No es lo mismo que reflexionar sobre lo que puede suceder.

Otra cosa a verificar son tus habilidades sociales. No lo tomes a mal, pero a veces nuestros temores se basan en experiencias pasadas en las que malinterpretamos una situación.

Puede ser que hayas detectado desdén, pero en realidad fue un pobre intento de sarcasmo. Muy a menudo pensamos que las personas nos están mirando, cuando en realidad podrían estar soñando despiertas.

Si la gente es tu principal preocupación debido a la ansiedad social, vale la pena aprender más sobre el tono de voz, el lenguaje corporal y las expresiones faciales para que puedas leer mejor a las personas correctamente.

Ponerlo en práctica:

Superar la ansiedad social es un proceso muy gradual, y daremos pequeños pasos para mantener el control. Si has pasado dos meses encerrado en tu apartamento debido a la cuarentena, no vas a apuntar directamente a un cine o concierto.

El objetivo es caminar hasta el final de la calle. Al día siguiente, ir hasta el final de la calle y sentarte en un banco. Si tienes miedo de volver a la oficina, el primer paso es llegar a tu escritorio. Por ahora evita lugares, como la sala de descanso o la cocina, donde es probable que haya grupos de personas. Puedes llegar a esto cuando estés cómodo en tu escritorio.

Crea una meta para superar tu ansiedad. Divide la meta en pequeños pasos manejables. No olvides que, con cada paso que tengas éxito, necesitas tener una recompensa para mantenerte motivado hacia el objetivo final.

Consejos fundamentales para la depresión

La depresión se ve diferente en cada persona. Uno de mis clientes la describió como una sensación de que ha perdido algo, pero no tiene idea de lo que es o dónde podría estar. Después de un tiempo, te das cuenta de que te has perdido a ti mismo. Es la misma sensación que tienes cuando te miras en el espejo y no reconoces el reflejo.

Algunos la han descrito como la sensación de ahogamiento o asfixia, pero todos a su alrededor parecen estar respirando normalmente y no pueden ver sus luchas. Para otros, es un completo entumecimiento. No se trata de estar triste o llorar todo el tiempo. Simplemente, no sientes nada.

La mayoría de la gente estará de acuerdo en que la depresión es agotadora. Pero lo que es más agotador es fingir al resto del mundo que todo está bien. Estás cansado y tienes miedo, pero estás demasiado cansado para la reacción de huida y demasiado asustado para la reacción de lucha.

Para un diagnóstico preciso, es necesario consultar a un médico, ya que podría prescribirte medicamentos y/ o enviarte a un terapeuta. Hay varios cuestionarios en línea que te darán una idea del grado de depresión. Me gusta psycom.net porque no hay necesidad de dar información personal, crear una cuenta, o introducir la dirección de correo electrónico.

La depresión no solo desaparece. Independientemente de si tu depresión es moderada o grave, debes tomar medidas. No olvides que el próximo capítulo se centra en el cuidado personal, que también ayudará con la depresión. Aquí hay algunas otras ideas que pueden aliviar los síntomas de la depresión.

1. No suprimas tus sentimientos

A menudo, sentimos que expresar nuestras emociones hoy en día es incorrecto. Esa aceptación social se trata de mantenernos unidos. Esto es lo opuesto a lo que necesitas hacer. Los estudios muestran que la represión de las emociones aumenta las posibilidades de muerte prematura por todas las causas en más del 30 %. El riesgo de ser diagnosticado con cáncer escala a un 70 % (Chapman et al., 2013).

Date tiempo para sentir dolor, llorar o gritar. Pero tiene que ser un período de tiempo determinado para que no te quedes atascado en este estado. Definitivamente, establece un temporizador y di para ti mismo que cuando el temporizador se apague, será hora de activarte. Esto puede ser una sensación increíble de alivio y se puede sentir que se aligera la tensión.

2. Recuérdate a ti mismo que lo que ocurre hoy no define el mañana

Esto funciona en ambos sentidos. Solo porque hoy es un buen día y te sientes más positivo, no es una señal de que tu depresión se ha ido.

Sé que esto suena negativo, pero sin intervención, continuarás en la montaña rusa de altibajos. Así que un buen día no es una señal para dejar de trabajar en los síntomas.

Por otro lado, también tienes que recordarte a ti mismo que incluso si hoy fuera un día terriblemente malo y no pudieras salir del sofá, mañana no es seguro que sea igual.

3. Pelea contra lo que la depresión te diga

Este puede ser el paso más difícil, pero también será el más beneficioso. En los días en que la depresión te dice que no tiene sentido salir de la cama, tienes que combatirla.

No pienses en todo lo que necesitas o deberías hacer. Se trata de un pequeño paso.

Necesitas poner tus pies en el suelo. Baja a la cocina o métete en la ducha.

Si no quieres ver a tus amigos, lucha contra esta voz con un contraargumento de que es mejor que quedarte solo en casa. Irá en contra de todo lo que tu cuerpo te está diciendo, pero tu mente tiene que tomar el control.

4. Expande tu horizonte

Según el Servicio Nacional de Salud del Reino Unido, el aprendizaje de nuevas habilidades tiene varios efectos positivos en la salud mental, además de crear nuevas neuronas cerebrales. Escoger un nuevo pasatiempo puede crear un sentido de propósito, a la vez que incrementa tu autoestima. Si aún no estás listo para iniciar una actividad en la que conozcas gente nueva, puedes ser voluntario en un refugio de animales.

Hacer reparaciones es una manera increíble de conquistar un gran sentido de logro. Hay tantos videos de bricolaje y reparaciones en línea, que puedes iniciar algunos proyectos en casa, como la renovación de un armario viejo. También hay cientos de cursos en línea gratuitos para que puedas obtener nuevas calificaciones y aprender más sobre ti mismo.

5. Limita el uso de redes sociales

Esto va directo a limitar la cantidad de información negativa que recibes. No son solo las noticias deprimentes que vemos. Las redes sociales pueden hacernos sentir enojados, incluso celosos. Un estudio mostró que las personas que consultaban su Facebook por la noche estaban más inclinadas a sentirse infelices y deprimidas (Lyall et al., 2018).

Sin embargo, aquellos que pasaron menos tiempo en sus cuentas de redes sociales reportaron mostrar menos síntomas de depresión y soledad (Hunt et al., 2018).

Las redes sociales tienen sus lados buenos, y es difícil imaginar no tener al menos una cuenta. Piensa en limitar el contenido que puedes ver y bloquear a aquellos que publican mucha negatividad.

Ponerlo en práctica:

Muchas veces, la depresión toma el mando porque no podemos ver nada que lograr. Una vez más, debemos atender a las pequeñas cosas que son más fáciles de lograr. Por lo tanto, no empieces a pensar en la próxima gran celebración familiar, ya que podrías sentirte peor. Planea cosas que sabes que disfrutarás. Una buena manera de mejorar el clima es planificar:

- 7 pequeñas actividades diarias (10 minutos de ejercicio, un capítulo de un libro, escuchar música)

- Una actividad semanal (un baño de tina, comida para llevar, una película)

- Una actividad mensual más importante (comprar una prenda nueva, viaje de un día a una ciudad diferente, corte de cabello)

Ten cuidado con la planificación de cosas que dependen de los demás, en caso de que no puedan unirse a ti. Eso no quiere decir que no puedas inscribirte en una actividad de grupo regular.

Superar la agresión pasiva

La agresión pasiva es cuando las personas expresan sus sentimientos negativos de una manera que daña a los demás.

Hay dos maneras en que esto puede afectarnos. Podríamos ser la persona pasivo-agresiva, o la gente que nos rodea está actuando de esta manera y están causando daño.

Primero, identifiquemos algunos comportamientos pasivo-agresivos:

- Sarcasmo excesivo o cumplidos con doble sentido
- Tratamiento silencioso
- Llegar tarde a propósito
- Victimizarse
- Cancelar compromisos al último minuto (sabiendo que causará problemas)
- Hacer cosas a sabiendas que molestarás a otros (llenar el recipiente de basura en vez de vaciarlo)
- Competir, llevar la cuenta
- Usar psicología inversa
- Abandonar responsabilidades
- Pretender que no entienden algo

Si el comportamiento pasivo-agresivo es algo en lo que necesitas trabajar, tienes que entender que tienes el derecho de sentirte enojado o molesto. Si tu pareja te ha lastimado, podrías retirarte y, sin darte cuenta, le estás aplicando el tratamiento del silencio.

Nuestro comportamiento pasivo-agresivo se debe a que algo nos está causando dolor, pero no tenemos las habilidades o la confianza adecuadas para manejarlo correctamente. La mayoría de las veces, tenemos miedo de una confrontación potencial. Terminamos siendo demasiado pasivos, demasiado agresivos o pasivo-agresivos. Ninguno resolverá el problema. Necesitamos trabajar en nuestras habilidades asertivas.

Ponerlo en práctica:

Si tu agresión-pasiva es porque te resulta difícil lidiar con el comportamiento de otras personas, primero identifica los desencadenantes. ¿Qué están haciendo o qué han dicho? A continuación, te remontas a esa fracción de segundo cuando se tiene una opción. ¡No reacciones! A medida que el cerebro libera todas estas hormonas emocionales, este no es el mejor momento para responder.

Cuando estás en casa, cómodo, y más relajado, debes planear lo que deseas decir y cómo vas a decirlo para ser asertivo, pero educado y amable.

1. Entiende con exactitud por qué tienes emociones negativas. Sé preciso con sentimientos. Si estás decepcionado, no digas triste. Si estás furioso, no digas enojado.

2. Prepara lo que quieres decirle a la persona y practica esto, ya sea en el espejo o con alguien de confianza.

3. Usa oraciones desde el "yo". Este es un consejo invaluable. Las declaraciones desde el "yo" mantienen el

enfoque en tus sentimientos, en lugar de comenzar con el "tú", que parece culpar a la otra persona.

4. Controla tu lenguaje corporal. La afirmación requiere la cantidad correcta de contacto visual y una postura abierta sin tener las manos detrás de la espalda o apretadas juntas en el regazo.

5. Controla tu voz. El tono de voz es una cosa, pero también lo es la velocidad. Demasiado rápido parecerás nervioso, si lo haces demasiado lento puede parecer que estás hablando con ellos como si fueran estúpidos.

6. Sugerir una solución o consecuencia si el comportamiento continúa. Por ejemplo: "No, no puedo trabajar horas extras esta noche, pero puedo mañana", o "sí me sigues faltando el respeto delante de mis amigos, no te volveré a invitar".

7. Discúlpate si es necesario. Nadie es perfecto y, si has cometido un error con conductas pasadas, está bien admitirlo.

Cuando otros son pasivo-agresivos hacia ti, no puedes dejarlo pasar. Esto se sumará a todo lo que hemos trabajado para superar en los capítulos anteriores. Así como ser asertivo puede ayudarte a superar tu propio comportamiento pasivo-agresivo, también te ayudará con los demás. Esto se debe a que estás abordando el problema directamente.

Haz un esfuerzo adicional para controlar tus emociones con personas pasivo-agresivas. El comportamiento pasivo-agresivo está estrechamente relacionado con la manipulación. Si una persona ve que te ha afectado, esto le dará combustible para continuar. Piensa en los hechos y las pruebas que tienes. Es por eso que es mejor elegir un momento para ser asertivo, en vez de reaccionar en el momento, al menos por ahora.

No es tu trabajo cambiar a las personas pasivo-agresivas en tu vida. Tienes suficiente tratando con tu propia salud mental. Además, como sabes, si alguien no reconoce su conducta o no está dispuesto a cambiar, no lo hará. Considera la posibilidad de poner un poco de espacio entre estas personas y tú. No es necesario eliminarlos de tu vida. Pero puedes limitar cuánto tiempo pasas con ellos, mientras cuidas tu salud mental.

Entender qué es la positividad tóxica y cómo evitarla

La positividad es algo bueno. Después de todo, estamos esforzándonos para alcanzarla. Entonces, ¿cómo puede ser tóxica la positividad? El Dr. Jamie Zuckerman, especialista en ansiedad y depresión en adultos, explica la positividad tóxica como la suposición de que se debe tener una mentalidad positiva, a pesar del dolor que se sienta.

Es la idea de que simplemente puedes cambiar toda tu perspectiva al generar pensamientos positivos y sentir esas vibraciones positivas. Sabes lo que quiero decir, seguro te acordarás de los cientos de memes que vemos. Son también los seres queridos que tratan de ayudar con cosas como: "Mira el lado positivo" y "Podría ser peor".

Todas estas afirmaciones son ciertas. Pero subestiman la magnitud del problema. Es como si pudiéramos ir a la cama pensando en lo bueno en nuestras vidas y despertar como una persona nueva.

Lo que es peor es que refuerza la idea incorrecta de que las emociones negativas son malas y que no deberíamos tener este tipo de sentimientos. Las emociones positivas son empujadas hacia nosotros, obligándonos a poner una sonrisa en nuestros rostros. No solo aplastan nuestras emociones negativas, sino que también nos sentimos mal con nosotros mismos por tenerlas.

La pandemia ha aumentado seriamente la cantidad de positividad tóxica en todas partes. Con los millones de personas que han perdido la vida, lo que nos decimos una y otra vez es que "podría ser peor".

Sí, es cierto que las cosas podrían ser peores. Pero eso no significa que no puedas sentir miedo, soledad, confusión y enojo. Tratar de no pensar en esto u obligarte a reemplazarlo con pensamientos positivos no ayudará. Al contrario, puede empeorar la situación.

Se le pidió a dos grupos que verbalizaran su flujo de pensamientos durante 5 minutos. A un grupo se le dijo que no pensara en un oso blanco. Al otro grupo se le dijo que pensara en un oso blanco. Cada vez que un participante pensaba en el oso, tocaban una campana. El grupo al que se le dijo que no pensara en el oso tocó la campana el doble de veces que el otro grupo (Wegner, 1987).

La positividad tóxica requiere un examen minucioso de tus sentimientos. Escribir un diario es una excelente manera de aceptar tus emociones, admitiendo que existen. Si bien tratar de ignorar las emociones negativas las hace más fuertes, escribirlas reduce la intensidad con la que sentimos estas emociones (UCLA, s.f.).

Muy a menudo, nos quedamos atrapados en una mentalidad de emociones positivas o negativas, o que tenemos que elegir entre una u otra. Esta sigue siendo una estrategia para no aceptar nuestras emociones reales. Si eres feliz, no puedes sentirte culpable por esto. Si estás enojado, no necesitas avergonzarte. Puedes experimentar emociones positivas y negativas al mismo tiempo.

Ten cuidado con la positividad tóxica en las relaciones. Si estás atravesando un momento difícil, es necesario que tu pareja no diga cosas como "supéralo" o "no es tan importante". Es posible que no se dé cuenta de lo que hace y asuma que dice las cosas correctas para hacerte sentir mejor.

Sé asertivo y usa adjetivos específicos para describir cómo te sientes cuando otros te empujan su positividad tóxica. Recuérdales que no necesariamente necesitas que te salven o te aconsejen. Solo necesitas que alguien te escuche y respete tus emociones.

Reconoce los pensamientos positivos tóxicos por lo que son: cualquier mensaje que excluya la opción de validar tus sentimientos reales. Anima a otros a hacer lo mismo. Cuando otras personas están hablando de cómo se sienten, no descartes sus verdaderos sentimientos y no empujes la positividad tóxica en ellos.

Ponerlo en práctica:

Entonces, tenemos un último ejercicio que cerrará este capítulo y, literalmente, desecharás la negatividad que frecuentemente proviene de los demás.

Toma un pedazo de papel. Escribe la experiencia negativa, la emoción, la persona, cualquier cosa que te esté afectando. No será como un volcado cerebral, porque solamente requerirá un par de oraciones específicas, y no todo lo que tienes en mente.

Toma esa pieza, rómpela en pedazos y bótala. No suena como algo importante, pero los estudios han demostrado que el acto de tirarlos en verdad hace una diferencia. Una vez que los participantes en el estudio habían desechado sus pensamientos, ya no pensaban en ellos. Los participantes que llevaron ese texto con ellos sintieron que sus pensamientos se amplificaban (Asociación para la Ciencia Psicológica, 2012).

Lo bueno de esto es que, mientras escribes sobre la fuente de tu negatividad, la estás procesando. Así que no estás evitando o suprimiendo tus emociones.

El capítulo final es uno de optimismo impresionante y positividad. Vamos a finalizar por todo lo alto y descubrir lo necesario para encontrar y desarrollar nuestra autoestima, para tener pensamientos positivos, hablar de ti mismo como un hábito natural y cómo empezar a disfrutar del presente.

PASO 7: SIEMBRA CAMBIOS POSITIVOS Y NOTARÁS LAS DIFERENCIAS EN TODAS LAS ÁREAS DE TU VIDA

Como he mencionado, hacer un cambio mental de lo negativo a lo positivo no será de la noche a la mañana. Lleva tiempo, práctica y paciencia.

Antes de empezar a ver las cosas con un matiz más optimista, es necesario trabajar para entender y superar lo negativo.

Sin embargo, una vez que estás empezando a sentir que tus patrones de pensamiento son más neutrales, es un buen momento para trabajar en fomentar la positividad en las diferentes áreas de tu vida.

Por favor, no puedo enfatizar esto lo suficiente, no te saltes este capítulo sin pasar por el proceso de aliviar tu negatividad, rumiación, ansiedad y depresión. Puedes correr el riesgo del efecto placebo. Te sentirás mejor durante un período breve, pero la negatividad volverá a aparecer.

Si sientes que la negatividad sigue controlando tu vida, tómate más tiempo para ver los efectos de las técnicas que hemos usado. Está bien tomarse este tiempo para hacerlo bien. Es un cambio que durará toda la vida, sé paciente contigo mismo. Si estás entusiasmado con ser más positivo, comencemos.

Los resultados de sembrar pensamientos positivos

Antes de la década de 1980, el pensamiento positivo era un concepto sin respaldo científico. En 1985, dos profesores de psicología, Michael F. Scheier y Charles S. Carver, publicaron un estudio que respaldaba la idea de que el pensamiento positivo conduce a resultados positivos.

Crearon el Test de Orientación de Vida o TOV, revisado en 1989 a TOV-R. Era una forma de evaluar el nivel de optimismo de la gente. Se utilizó por primera vez en un grupo de estudiantes universitarios para entender si había un vínculo entre los niveles de optimismo y salud. Los resultados mostraron que los estudiantes más optimistas tenían menos síntomas físicos.

Desde entonces, el pensamiento positivo ha atraído el interés de los investigadores. Esto ha llevado al término *optimismo disposicional7*, que es hacia lo que estamos yendo. El optimismo es la creencia de que nuestro futuro tendrá más acontecimientos y experiencias positivas que negativos. Este tipo de optimismo fomenta una gran variedad de beneficios de bienestar, específicamente reduce la depresión, la ansiedad y el estrés.

Ser más optimista y pensar positivamente no bloquea el estrés o las preocupaciones. Sin embargo, te ayuda a encontrar las soluciones a los problemas, al mirar al futuro de una manera más favorable.

Entonces, ¿cómo el pensamiento positivo conduce a resultados positivos?

Aquellos con una perspectiva más positiva de la vida están más decididos a lograr sus metas. Con niveles de estrés más bajos, son mejores para hacer frente a la presión. Los contratiempos no son algo que impida a los optimistas alcanzar sus metas. En cambio, los usarán como experiencias de aprendizaje.

Aquí hay algunas formas en las que puedes empezar a introducir un poco de positividad en cada día y obtener más resultados.

1. Sonríe

Incluso si no te sientes feliz, sonríe. Cuando sonríes, tu cerebro tiene una pequeña fiesta de positividad. Todas nuestras hormonas felices, como la dopamina, la serotonina y las endorfinas se liberan. Los científicos también han descubierto que la sonrisa es contagiosa (Hatfield et al., 1992). Por lo tanto, también mejorarás el día de otra persona.

2. Toma fotos de las cosas positivas

Una excelente práctica es tomar una foto por día de algo positivo. Trata de asegurarte de que no sea a primera hora de la mañana, puedes decirte a ti mismo que habrá algo más positivo luego. Algo muy simple, como buscar la cosa más positiva, mantiene tu mente activa, en busca del bien en el mundo.

3. Sé bueno con alguien

Nuestros cerebros tienen un sistema de recompensas práctico que nos inyecta dopamina. Cuando somos amables con los demás, nuestro cerebro nos recompensa. Hay un enorme factor de bienestar para hacer algo inesperadamente amable por alguien más.

Trae el café a tu colega, un masaje para tu pareja, hornea un pastel para tus padres. Trata de incluir, al menos, un acto de bondad cada día.

4. Comienza tus conversaciones con positividad

¿Cuántas veces has iniciado una conversación con un comentario negativo sobre el clima? Comenzar las conversaciones con una declaración positiva como "Acabo de escuchar la canción más increíble" en lugar de "Nunca voy a finalizar este trabajo". La conversación será más ligera y otros percibirán que eres más positivo.

5. No canceles tus planes

Ha sido desgarrador cancelar tantos planes debido a la pandemia. Desde las vacaciones hasta las bodas, la mayoría de nosotros hemos sentido que la vida ha quedado en suspenso.

Todavía puede pasar un tiempo antes de que sigamos con nuestros planes, pero eso no significa que no podamos disfrutar de un poco.

Si tenías planes de visitar España, pon algo de música flamenca, haz una comida típica y ten una noche de temática española. Sigue aprendiendo sobre la cultura para que estés listo para cuando llegue el día.

6. Sé específico con tus metas

Los objetivos son nuestra motivación. Sin ellos, avanzamos por la vida con poco impulso y poco que esperar. Ahora que entiendes que tu cerebro puede continuar aprendiendo cosas nuevas y que todo es posible, es hora de reevaluar tus metas con una actitud más positiva.

Piensa en las cosas que siempre has querido hacer y que pensabas que eran imposibles. Sé lo más específico que puedas e incluye fechas para cuando quieras lograrlo. Ahora crea un plan realista para saber cómo puedes lograr cada objetivo.

Tus metas y planes para alcanzarlas deben estar por escrito. La lista debe contener metas a corto y largo plazo, así como recompensas para cada una. Las recompensas son esenciales, pues nos mantienen enfocados y nos motivan cuando los tiempos son difíciles.

No olvides seguir revaluando tus metas para que sepas que vas por buen camino.

No fuerces la positividad. Pero debes esforzarte por ver lo bueno en la vida. Y si realmente no puedes encontrar nada, es esencial comenzar a planear algo bueno.

Afirmaciones versus conversaciones internas positivas

Tanto las afirmaciones como la conversación interna positiva son métodos que alientan a la mente a ser más optimista, aumentan la autoestima y la confianza, y ser aún más productivo. Estos métodos son un poco delirantes para algunos, pero la ciencia nos dice lo contrario.

Las resonancias muestran que cuando una persona repite una afirmación positiva, el centro de recompensa del cerebro se activa. Las neuronas comienzan a activarse y conectarse para crear vías en el cerebro que la hacen más feliz (Social Cognitive and Affective Neuroscience, 2015).

Una investigación sobre los estudiantes mostró que aprender a convertir su conversación interna negativa en positiva era una habilidad que impactaba la vida. Los estudiantes pudieron cambiar sus perspectivas de sí mismos y de otros (Chopra, 2012).

A pesar de que el cerebro es increíblemente inteligente, no es capaz de distinguir entre lo que es real y lo que es inventado. Lo sabemos por experiencia cuando vemos una película de terror. El cuerpo reacciona aumentando el ritmo cardíaco y tensando los músculos, aunque no estamos experimentando lo que está sucediendo en la escena.

La diferencia entre las afirmaciones positivas y la conversación positiva es sutil. Las afirmaciones positivas son frases cortas que repetimos, ya sea verbalmente o por escrito. La conversación positiva es un diálogo que tenemos con nuestro subconsciente. En ambos casos, el cerebro interpreta lo que decimos como real.

Un ejemplo de la vida real de cómo utilizar las afirmaciones y la conversación sería comenzar el día con una afirmación positiva.

Por ejemplo: "Tengo el poder de ser positivo". A lo largo del día, tendrás conversaciones contigo mismo que te recordarán que busques el optimismo y, lo que es más importante, que te mantengas positivo cuando las cosas no salgan según lo planeaste.

Voy a incluir algunos ejemplos de afirmaciones que también se pueden utilizar como conversación positiva. Es muy importante que tus afirmaciones y tus palabras tengan significado para ti.

Si lees a lo largo de la lista y nada se apodera de ti, puedes adaptar del modo que sea más atractivo para ti, o escribir tu propia afirmación.

Si estás creando la tuya, recuerda usar el tiempo presente. Así como el cerebro no descifra entre lo real y lo inventado, tampoco reacciona a los tiempos futuros. Un mensaje sobre algo que harás, no hace que el cerebro reaccione en el momento.

Ejemplos de afirmaciones positivas

- Soy digno de lo que deseo.
- Vendrán cosas buenas.
- Soy una potencia indestructible.
- Estoy lleno de energía y alegría.
- Me levantaré por encima.
- Tengo la energía para cumplir mis metas.
- Confío en mi instinto.
- Veo la positividad en mi vida.

Ejemplos de charla positiva interna

- Esto es un pensamiento; no es mi realidad. Ahora mismo, todo está bien.
- Mi miedo no me controla y no me detiene

- Todavía no he alcanzado mi objetivo, pero estoy orgulloso de lo lejos que he llegado.
- Puedo aprender de este error para que no vuelva a suceder.
- Controlo mis propios pensamientos, sentimientos y acciones. Estas son mis responsabilidades.
- Cada día soy una mejor versión de mí mismo.
- Tengo la fuerza y la habilidad para superar este desafío
- Soy una persona buena, amable e inteligente que merece ser feliz.

Asegúrate de hacer afirmaciones como parte de la rutina. Debes intentar repetir la afirmación durante 3 a 5 minutos, y si es posible, 2 o 3 veces al día. No hay límite para tu conversación positiva. Es posible que necesites inspiración antes de un determinado evento o tarea, o podría ser cuando estás sentado tranquilamente contemplando el mundo.

Si tienes problemas con la conversación positiva interna, crea una persona para tu subconsciente. Tu persona estará determinada a llenar tu mente con una conversación negativa interna. En este punto, la conversación negativa no tendrá los mismos efectos que antes y puedes poner a esta persona a descansar con tu conversación positiva.

Por qué el amor propio, el autocuidado y la autoapreciación son esenciales

Suena como un montón de *ego* y esto debe ser egoísta, ¿verdad? ¡Absolutamente no! Una persona egoísta está constantemente poniendo sus propias necesidades y placeres delante de los demás y no teniendo consideración por los demás. De esto se tratan estos tres conceptos de uno mismo:

- **Amor propio:** la capacidad de reconocer y apreciar tus emociones. También significa anteponer tus necesidades físicas y mentales a las de los demás.

- **Autocuidado:** convertirte en la mejor versión de ti mismo: cuidar de ti para que puedas cuidar de los demás.

- **Autoapreciación:** apreciar que todos tenemos el bien en nosotros: tomarte el tiempo para ver quién eres en este momento.

De aquí en adelante, combinaremos los tres en el cuidado personal. La razón por la que el autocuidado es tan importante y no egoísta es que todos tenemos alguna forma de responsabilidad.

Tenemos cuentas que pagar, hijos o padres que cuidar, un trabajo, amigos que nos necesitan. Si no cuidamos de nosotros mismos, es imposible cuidar de nuestras responsabilidades.

Cuando estas responsabilidades se quedan atrás, nos sometemos a más estrés, presión, negatividad, ansiedad y depresión.

Entre diciembre de 2015 y marzo de 2016, 871 estudiantes de medicina completaron sus propios informes sobre su autocuidado y calidad de vida. Los investigadores analizaron el estrés físico y psicológico.

Cuanto más autocuidado practicaron los estudiantes, mayor fue la disminución del estrés percibido y fueron más resistentes (Ayala et al., 2018).

La pandemia también ha aumentado significativamente la necesidad de autocuidado, ya que muchas de nuestras responsabilidades han cambiado rápidamente. Enseñar a tus hijos desde casa es una responsabilidad totalmente diferente. Hacer compras adicionales para los seres queridos para que puedan cumplir el aislamiento añadió tensión a la vida.

Las ideas para el autocuidado son infinitas y pueden ser personales. No todo el mundo va a encontrar 20 minutos en la bañera como una oportunidad para recargar sus baterías. Otros odiarían la idea de recibir un masaje o correr 5 millas.

Sin embargo, tu salud depende de la implementación de tantos de los siguientes consejos como sea posible.

1. Ten una dieta bien balanceada

No necesitas hacer una dieta permanente. Sin embargo, las frutas y verduras te proporcionarán los nutrientes que tu cuerpo necesita, los carbohidratos te darán la energía, y los omega-3 (que se encuentran en los pescados grasos, nueces y semillas) son excelentes alimentos para el cerebro.

Trata de no utilizar a los alimentos como una fuente de combustible. Debido a nuestros estilos de vida ocupados, cocinar se ve a menudo como una carga adicional, en lugar de una tarea para disfrutar. Será bueno para tu dieta y tu cerebro aprender una nueva receta cada semana y divertirte al mismo tiempo.

2. Haz ejercicio

El ejercicio ayuda a controlar el peso, mejora la salud del corazón y reduce las posibilidades de numerosas enfermedades. Disminuye el estrés, aumenta las hormonas felices y ayuda con la calidad del sueño.

Tanto la Clínica Mayo como el NHS recomiendan 150 minutos de ejercicio aeróbico moderado o 75 minutos de ejercicio aeróbico vigoroso a la semana.

Comienza poco a poco, incluso si se trata de una caminata de solo 10 minutos cada día. Puedes comenzar con esto y poco a poco hacer la actividad más intensa.

3. Duerme bien

Algunas personas necesitan 8 horas, otras lo hacen igual de bien en 6. Crea una rutina fuerte a la hora de dormir, que comience al menos media hora antes de ir a la cama. Como hemos dicho, podría ser obvio decir evita el café, pero si tienes problemas para dormir, es posible que desees evitar cualquier bebida estimulante después de las 3 p. m.

Además, por tentador que sea, deja los dispositivos móviles fuera del dormitorio. Las pantallas producen una luz azul que dificulta la producción de melatonina. La melatonina es la hormona que necesitamos para dormirnos.

4. Bebe bastante agua

Sé que esto no es nada nuevo, pero entender la ciencia detrás de esto te motivará a beber más.

Dependiendo de la edad y el sexo, el cuerpo es de 50 a 75 % de agua. El cerebro contiene 85 % de agua. Beber 7 onzas de agua (unos 200 ml) por hora puede reducir a la mitad el número de errores que cometemos.

Cuando la hidratación cae a menos del 2 % del peso corporal, tu estado de ánimo puede verse afectado (Water Plus, s.d.).

5. Toma descansos regulares

Se podría pensar que abarrotar horas de trabajo es productivo. La mayoría de las personas solo son capaces de concentrarse hasta 90 minutos a la vez. Después de esto, es mejor alejarse del escritorio y la pantalla durante unos minutos.

También puedes considerar cambiar el entorno de trabajo. Si tienes un área de escritorio o si tienes que hacer llamadas telefónicas, camina un rato. 8 horas de sedentarismo son drenantes y terribles para tu cuerpo.

Bebe un vaso de agua cuando te despiertes y antes de acostarte. Establece una alarma como recordatorio para beber agua durante todo el día. Si te aburres, puedes agregar rebanadas de fruta para saborizar tu agua.

6. Aprende a decir *no*

Si no podemos decir que *no*, todo nuestro tiempo va a estar lleno de cosas que otras personas requieran y el autocuidado se pospone o ignora. A veces tenemos que aceptar el hecho de que no podemos hacer todo y estar bien. Decir que *no* no es cruel, es un método de autoprotección.

Ser asertivo te ayudará a decir *no* de una manera que no ofenda a la otra persona y no le permita intentar cambiar tu opinión. Mantén la brevedad y no sientas la necesidad de justificar por qué no puedes hacer lo que la otra persona quiere. Puedes ofrecer una solución o alternativa si tu horario lo permite.

7. Haz tiempo para las cosas que amas

Antes de que nos volviéramos demasiado serios sobre la vida, había muchas actividades que nos encantaban y nos hacían reír y sentirnos bien. Piensa en lo que hacías cuando eras niño, tal vez fútbol o baloncesto, patinar o pasear con tus mascotas.

Busca grupos o clubes en tu área que ofrezcan actividades que quizá quieras probar. No tiene que ser un compromiso de por vida. Pero es genial explorar nuevos pasatiempos y descubrir qué te hace feliz ahora.

8. Organízate

Solo una cosa como perder tus llaves por la mañana puede afectar tus niveles de estrés por el resto del día. Olvidar las contraseñas te hace perder tiempo. Faltar a reuniones y planes es irresponsable.

Ser más organizado es un pequeño cambio que agrega estructura a tu rutina y te ayuda a mantener el control. Utiliza aplicaciones, calendarios y listas para mantenerte organizado. Mantén los artículos importantes que necesitas todos los días (como llaves, cargadores, bolsos, etc.) en el mismo lugar.

Parece que el autocuidado toma mucho tiempo y el tiempo ya es escaso. Es necesario programar los momentos de autocuidado, incluso si solo son 30 minutos dos veces a la semana o 10 minutos cada mañana. Haz una regla sólida para que este momento sea solo para ti.

Lo que sucederá es que pronto empezarás a sentirte mejor y con más energía. Actividades como hacer la compra semanal no serán tan agotadoras y será más fácil despertarte un poco antes para hacer más ejercicio. Conseguirás más productividad durante las horas de trabajo, así que no tendrás que quedarte hasta tarde. ¡El autocuidado es crucial para el equilibrio entre trabajo y vida personal!

Automatiza tus pensamientos positivos

¿Recuerdas el sesgo de negatividad? ¿La capacidad de recordar lo malo sobre lo bueno porque cada vez que revivimos un mal momento, las neuronas del cerebro se encienden, se conectan y se hacen más fuertes?

Si podemos usar la ciencia para romper el sesgo de negatividad y dejar de pensar en lo negativo, podemos usar la misma ciencia para automatizar el pensamiento positivo.

Piensa en esto, acabas de tener una gran noche con amigos. Bailaste, te reíste, y esto es lo mejor que has sentido en mucho tiempo. Vas a casa y piensas en la noche. Por la mañana, recuerdas una canción que bailaste y te hace sonreír. Durante el día, piensas en los terribles movimientos de tu amigo... y te ríes de nuevo.

Cada vez que piensas en tu increíble noche de fiesta, las neuronas del cerebro se disparan y crean nuevos recuerdos. Si haces lo mismo con todas las cosas buenas en tu vida, tus recuerdos se vuelven más positivos.

Esto no solo va a ayudar a tu cerebro a pensar automáticamente de manera más positiva. Le ayudará a tomar decisiones y a resolver problemas. Accedemos a los recuerdos de nuestras experiencias pasadas para resolver problemas actuales. Si un amigo te invitó a salir y tu experiencia pasada fue mala, tu decisión se basará en esto y es más probable que digas que no, limitando tus nuevas experiencias.

Si tu cerebro tiene la capacidad de pensar automáticamente de manera negativa, tiene la capacidad de hacerlo positivamente. ¡Tienes que enseñarle cómo!

Por qué y cómo vivir en el presente

Si has hecho alguna investigación sobre el pensamiento negativo, habrás visto que casi todo el mundo recomienda la meditación y por una muy buena razón. La meditación y el *mindfulness* ayudarán con cada tema que hemos discutido desde la depresión hasta el sueño, los pensamientos intrusivos y el manejo del estrés.

Al igual que las afirmaciones y el pensamiento positivo, la meditación puede sonar como la última solución para solucionar todos nuestros problemas. Pero si algo se ha utilizado durante miles de años, es difícil negar su eficacia.

La meditación se ha utilizado durante siglos como una forma de vivir en el presente. Al tomar tiempo cada día para disfrutar del aquí y ahora, no nos distraemos por las preocupaciones de nuestro pasado y futuro.

Ser conscientes del presente nos permite mantenernos en tierra, reducir los niveles de estrés y nos ayuda a lidiar con nuestros pensamientos y emociones negativos. Nos da un momento para apreciar las pequeñas cosas en la vida que pueden hacernos felices y las cosas increíbles que están en el mundo si miramos lo suficiente.

Hay un montón de estudios para elegir para ver el impacto positivo de la meditación consciente para estar más en el presente. Según Mindful (2018), se ha demostrado que la meditación agudiza nuestro enfoque, mejora la salud mental, fortalece nuestras relaciones e incluso reduce el sesgo negativo.

¡El presente merece más crédito! Es el único momento que tenemos que no tiene tiempo. Es lo que separa nuestro pasado y nuestro futuro. Nunca volverás a tener este momento presente. Entonces, ¿cómo empezamos a disfrutar el presente? Con *mindfulness*.

1. Dedica la cantidad correcta de tiempo. Al principio, solo unos pocos minutos mientras aprendes. Asegúrate de que no te interrumpan y apaga el teléfono.

2. La meditación no tiene que ser sentarse con las piernas cruzadas. Puedes sentarte, recostarte, incluso caminar, siempre y cuando estés cómodo.

3. Presta atención a tu cuerpo. ¿Los músculos están relajados? ¿Necesitas moverte para liberar la tensión?

4. Vuelve tus sentidos al presente. La meditación consciente no se trata de silenciar la mente, se trata de dejar que la mente preste atención a lo que está sucediendo. Concéntrate en la luz y el calor de tu piel. ¿Qué puedes oír y oler?

5. Inhala lentamente, profundamente, deja que se llene todo tu abdomen antes de exhalar. Sigue concentrándote en tu respiración. Cuenta las respiraciones si te ayuda.

6. La mente comenzará a divagar. No te juzgues por esto, es normal. Permite que el pensamiento venga y se vaya pero no le prestes ninguna atención innecesaria. Visualiza cómo el pensamiento flota de nuevo.

7. Devuelve tu atención a tu respiración. Cada vez que tu mente divague, acepta el pensamiento y regresa a tu respiración.

El objetivo será aumentar gradualmente el tiempo de meditación durante un máximo de 10 a 20 minutos al día. Puedes empezar haciendo unos minutos, 2 o 3 veces al día o cuando lo necesites. Cada vez que hablas frente a un grupo grande, tomarás unos minutos solo para ser consciente. No te rindas después de un día o dos. Puede tomar algunas semanas comenzar a notar los beneficios de la meditación consciente.

Parece una práctica sencilla. Pero calmar el cerebro para que puedas aceptar pensamientos pero no dejarlos tomar el control es mucho más difícil de dominar de lo que parece. También hay tantos tipos diferentes de meditación que es posible que necesites un poco de ayuda para buscar el que más te convenga.

Mira algunas de las mejores aplicaciones de meditación para empezar. Headspace, Aura, y Smiling Mind son tres ejemplos excelentes. También hay miles de videos online de meditación guiada, con voces que ayudarán a enfocarte

Una manera sencilla de convertir tus pensamientos tóxicos en acciones positivas

Los pensamientos tóxicos son los más desagradables, ya sea sobre ti o sobre alguien más. No nos proporcionan ningún valor, lo que significa que lo único que van a lograr es generarte dudas internas, conversación negativa, rumiación y la espiral negativa.

A medida que tu confianza y autoestima crezcan, tendrás menos pensamientos tóxicos sobre ti mismo. Mientras tanto, vamos a usar estos pensamientos tóxicos para motivarnos a hacer los cambios que necesitamos ver. Podemos hacer esto incorporando nuestros pensamientos tóxicos en nuestra conversación positiva. Aquí hay algunos ejemplos:

- Soy feo: soy feo cuando frunzo el ceño, así que debo recordar sonreír más.

- Nunca voy a perder peso: voy a aumentar mi actividad aeróbica por X para perder más kilos.

- No obtendré la promoción porque no soy lo suficientemente inteligente: si tomo este curso en línea, puedo tener las mismas calificaciones que mis colegas. Si tomo dos clases en línea, estaré más calificado.

- Odio la forma en que mi amigo siempre se burla de mí: mis nuevas fortalezas evitarán que los dichos de mi amigo me hieran mientras aprendo a ser más asertivo.

La mayoría de la gente piensa que la ira es una mala emoción. La ira no es ni buena ni mala, es lo que hacemos con ella lo que hace toda la diferencia. Los pensamientos tóxicos pueden provocar muchas emociones: lástima, vergüenza, culpa, frustración y decepción son solo algunas.

¿Y si pudiéramos convertir un pensamiento tóxico en ira y usar esta ira para el bien?

No dejes que tus pensamientos tóxicos te obstaculicen. Enfádate por ellos. Tus padres no tienen derecho a microgestionar tu vida. Tu jefe no puede manipularte para que trabajes horas extras.

No eres una mala persona. Enfádate por estas cosas y usa esta ira para crear energía que te empuje a la acción.

Cuando estamos enojados por algo, es porque nos importa. Cuestiones globales como el cambio climático, el racismo y la violencia de género pueden provocar pensamientos muy tóxicos.

Pero, en lugar de asumir que este es el mundo en el que vivimos, ¿no sería mejor enojarse y hacer algo al respecto?

Si alguien te está maltratando, no te hagas la víctima, no lo aceptes. Enfádate, haz un ejercicio para despejar tu cabeza, aumentar todas las hormonas necesarias e ir y decirle a esta persona que no lo tomarás más.

Recuerda que controlas tu ira, la ira no te controla. Esta técnica se deja para más adelante en el libro porque sería considerada una técnica más avanzada. Necesitas estar completamente consciente de tus emociones y saber cómo calmarte después de enojarte.

Si no puedes controlar tus emociones, te arriesgas a actuar sobre la ira. Solo usa la ira como una patada en el trasero para entrar en acción positiva.

Ponerlo en práctica:

Para esta práctica, necesitamos 15 minutos. Sé que esto suena como mucho, pero todavía hay 1.425 minutos en el día para hacer todo lo demás. Estos 15 minutos van a ser los 15 minutos cruciales para iniciar tu día con el pie derecho y todo lo que necesitas hacer es levantarte 15 minutos antes.

Comienza con un par de respiraciones profundas. Estira los músculos, prestando mucha atención al cuello, los hombros y la columna vertebral. Ahora elige un ejercicio aeróbico vigoroso: como saltar, saltar o correr en el mismo sitio. Elige otra actividad aeróbica de bajo impacto, como caminar en el lugar o bailar.

Vamos a hacer 30 segundos de alto impacto seguido de 1 minuto de bajo impacto. Repite esta serie 4 veces. Sigue con algunos estiramientos más. Luego, ponte cómodo y termina con unos minutos de meditación consciente. Termina tus 15 minutos con una afirmación positiva o una declaración de gratitud.

Después de una ducha y ropa fresca, estarás en el lugar perfecto física y mentalmente para el día. Si ya eres una persona activa, podrías encontrar que puedes hacer más, lo cual es genial. La idea en este momento es al menos empezar algo, sin la necesidad de ningún equipo o excusas. Una vez que empiezas y se convierte en parte de tu rutina, puedes introducir pequeños cambios para extender la intensidad y el tiempo.

CONCLUSIÓN

"Nada puede conducir a una persona más cerca de la locura que un recuerdo tenebroso que resiste su propia muerte".

— *DARNELLA FORD*

Tienes todo el derecho del mundo de sentirte como te sientes. La vida es dura y nos enfrentamos a una montaña de desafíos que pensamos que no tenemos la fuerza ni la capacidad de superar. No estamos solos. Pero como tantas otras personas, tienes la opción de hacer un cambio y dejar la negatividad atrás.

Tampoco necesitas sentirte abrumado por toda la información, técnicas e ideas que contiene este libro. Habrá algunas técnicas que necesitarás más que otras por diversos motivos.

Todos somos individuos, y como tales somos únicos y especiales, algunas estrategias funcionarán mejor para unos que para otros. Probablemente habrás leído algunas ideas que te han llamado la atención.

Trata de tomar un par de ellas de cada sección para empezar. Comienza de a poco. Solo porque haya más de 30 ideas, no significa que tengas que implementarlas todas.

Si has probado todas las técnicas y no has experimentado ningún progreso, no dudes en consultar con un profesional para que te ayude. Puede ser que tus problemas se hayan vuelto tan profundamente arraigados que necesites una ayuda adicional. Todas las técnicas de este libro se pueden utilizar junto con las soluciones que te recomiende tu médico o profesional tratante.

Recapitulemos en el método L. I. B. E. R. T. Y. y algunas de las claves de cada paso.

El primer paso en este viaje fue el de ***Leer*** y aprender cómo trabaja tu cerebro. El sesgo de negatividad es desafortunado porque hace más difícil luchar contra la avalancha de pensamientos negativos. Sin embargo, también hemos aprendido que esta forma de pensar puede ser combatida. Este primer capítulo requirió autorreflexión y una comprensión de dónde provienen nuestros pensamientos negativos y nuestra rumiación.

Inspeccionar nuestros patrones de pensamiento nos abrió los ojos a los diversos modelos mentales que se pueden utilizar para ampliar la forma en que pensamos. Descubrimos herramientas simples que podíamos utilizar para entender cómo vemos el mundo y nuestra propia vida. La herramienta intuitiva que requiere que enumeres tu propio ejemplo para cada uno de los 12 tipos de pensamiento negativo es ideal para obtener una apreciación más clara de cómo el pensamiento negativo es más complejo que solo ser pesimista.

Esto nos lleva al capítulo sobre ***Borrar*** nuestros pensamientos negativos. Las 10 categorías te mostraron cómo puedes hacer solo unos pocos cambios en tu hogar para crear un entorno más positivo. Examinamos la mentalidad de crecimiento y cómo crearla.

Para esta sección, consideré extremadamente útil prestar un poco más de atención a los pensamientos negativos en espiral descendente. Son especialmente dolorosos porque, al igual que una roca rodando por una montaña, rápidamente cobran impulso y poder.

Al charlar con clientes, amigos, familiares y lectores, la mayoría de la gente siente que si pudiera dormir un poco más, tendría más energía para manejar la negatividad.

Por eso, el capítulo sobre ***Eliminar*** la rumiación y el sobrepensamiento es la base para hacer borrón y cuenta nueva; al recordar que el pasado y el futuro no pueden determinar nuestro presente, así como tampoco pueden hacerlo las opiniones de los demás.

En el capítulo acerca de ***Reconectar*** tu cerebro, hemos visto como nuestro crítico interno se ha convertido en el maestro de ceremonias de nuestros pensamientos y como abordarlo.

Mi favorito personal siempre será es el vaciamiento cerebral para ayudar a calmar el ruido mental. Pero también los consejos rápidos que han sido probados por los neurocientíficos (como mojarse la cara con agua fría) me han ayudado una y otra vez.

Tirar la negatividad a la basura como si fuera unos zapatos viejos ***Y sembrar*** cambios positivos, han sido reservados para el final por buenas razones. En primer lugar, no comes el postre antes de tu plato principal, y en segundo lugar, necesitas trabajar en los primeros 5 pasos para encontrarte en una situación más sólida y favorable para abrazar lo positivo.

Lo último que probablemente puedas imaginar ahora mismo es encontrar la energía para hacer ejercicio cuando apenas puedes salir de la cama. Esta puede ser una de las mayores batallas que libres con tu mentalidad. Pero debes ganar esta batalla. Recuerda que no se trata solo de levantarte y salir a correr o inscribirte en un gimnasio.

Siempre tenemos que empezar poco a poco en cada cambio que hagamos. Empezar poco a poco puede ser salir a dar un paseo corto, trotar en el lugar en tu casa, o 5 minutos de yoga con la ayuda de una aplicación.

La parte más difícil no es el primer día. La parte más difícil será la batalla diaria hasta que se convierta en una rutina. Pero volverte más activo físicamente cambiará la forma en que te veas a ti mismo y a los acontecimientos en tu vida.

Al igual que el ejercicio, la meditación proporcionará más beneficios a tu salud física y mental de lo que podrías haber pensado originalmente. Repito, toma su tiempo, y antes de empezar a meditar debes tener una actitud positiva. Si le dices a tu mente que no funcionará, tu mente te creerá.

Y la mente es la herramienta más asombrosa que tienes. Es flexible, cree lo que le dicen, ya sean mensajes físicos o mentales. La ciencia nos ha demostrado que todos somos capaces de cambiar, mientras lo deseemos. Si has llegado al final de este libro, está muy claro que deseas este cambio.

Aprovecha este deseo y determinación para seguir adelante con los pequeños cambios que hagas. No dejes que ese personaje negativo te diga que lo que estás haciendo no está funcionando.

Las técnicas funcionan cuando les das tiempo. Sé firme con tu personaje negativo, pero amable contigo mismo. Tómate el tiempo para disfrutar de las cosas que haces. Incluso las tareas más comunes, como la limpieza, pueden convertirse en algo positivo, con la mentalidad correcta.

Confío plenamente en ti, y sé que puedes empezar a llevar una vida más positiva con la ayuda de este libro. Lo has hecho tan bien, incluso desde que tomaste la decisión de acabar con tus pensamientos negativos.

Sinceramente, me apasiona escuchar cómo la gente ha dado un giro a sus vidas y te agradecería enormemente que dejaras una breve opinión de tu experiencia en Amazon para que otras personas que estén luchando puedan saber que hay luz al final del túnel.

BIBLIOGRAFÍA

Anxiety & Depression Association of America. (n.d.-a). *Facts & Statistics | Anxiety and Depression Association of America, ADAA*. ADAA. Retrieved October 12, 2021, from https://adaa.org/understanding-anxiety/facts-statistics

Anxiety & Depression Association of America. (n.d.-b). *Social Anxiety Disorder | Anxiety and Depression Association of America, ADAA*. ADAA. Retrieved October 12, 2021, from https://adaa.org/understanding-anxiety/social-anxiety-disorder

BBC. (2021, March 5). *Neuroplasticity: How to rewire your brain*. BBC Reel. https://www.bbc.com/reel/video/p098v92g/neuroplasticity-how-to-rewire-your-brain

Bothered by Negative, Unwanted Thoughts? Just Throw Them Away. (2012, November 26). Association for Psychological Science - APS. https://www.psychologicalscience.org/news/releases/bothered-by-negative-unwanted-thoughts-just-throw-them-away.html

Bradt, S. (2010, November 11). *Wandering mind not a happy mind*. Harvard Gazette. https://news.harvard.edu/gazette/story/2010/11/wandering-mind-not-a-happy-mind/

Bright, R. M. (2012, October 29). *Impact of positive self-talk*. OPUS. https://opus.uleth.ca/handle/10133/3202

Brooker, H. (2019, July 1). *The relationship between the frequency of numberâpuzzle use and baseline cognitive function in a large online sample of adults aged 50 and over*. Wiley Online Library. https://onlinelibrary.wiley.com/doi/abs/10.1002/gps.5085

Cacioppo, J. T. (2014, June 27). *The negativity bias: Conceptualization, quantification, and individual differences | Behavioral and Brain Sciences*. Cambridge Core. https://www.cambridge.org/core/journals/behavioral-and-brain-sciences/article/abs/negativity-bias-conceptualization-quantification-and-individual-differences/3EB6EF536DB5B7CF34508F8979F3210E

Camacho, L. (2019, February 26). *Four Ways Negativity Bias Slows You Down (And How To Stop It)*. Forbes. https://www.forbes.com/sites/forbescoachescouncil/2019/02/26/four-ways-negativity-bias-slows-you-down-and-how-to-stop-it/?sh=27fb3cf2c5f9

Cascio, C. N. (2015, November 5). *Self-affirmation activates brain systems associated with self-related processing and reward and is reinforced by future orientation*. NCBI NLM NIH. https://www.ncbi.nlm.nih.-gov/pmc/articles/PMC4814782/

Castillo, B. B., & Nolan, C. (2019, April 3). *Deepak Chopra: How to rewire your brain for success*. CNBC. https://www.cnbc.com/video/2019/04/03/deepak-chopra-how-to-rewire-your-brain-for-success.html

Chapman Ph.D., B. P. (2013, July 14). *Emotion Suppression and Mortality Risk Over a 12-Year Follow-up*. NCBI NLM NIH. https://www.ncbi.nlm.nih.-gov/pmc/articles/PMC3939772/

Cirino, E. (2019, April 18). *10 Tips to Help You Stop Ruminating*. Healthline. https://www.healthline.com/health/how-to-stop-ruminating#tips

Cohen, L. G. (1998, July). *Studies of neuroplasticity with transcranial magnetic stimulation*. PubMed. https://pubmed.ncbi.nlm.nih.gov/9736465/

Farnam Street. (2021, June 2). *Mental Models: The Best Way to Make Intelligent Decisions (~100 Models Explained)*. https://fs.blog/mental-models/

FBI. (2021, June 14). *Uniform Crime Reporting (UCR) Program*. Federal Bureau of Investigation. https://www.fbi.gov/services/cjis/ucr

Frothingham, S. (2019, October 24). *How Long Does It Take for a New Behavior to Become Automatic?* Healthline. https://www.healthline.-com/health/how-long-does-it-take-to-form-a-habit

Goldstein, M. (2021, March 2). *How to Control Your Thoughts and Be the Master of Your Mind*. Lifehack. https://www.lifehack.org/articles/lifestyle/how-to-master-your-mind-part-one-whos-running-your-thoughts.html

Harvard University. (n.d.). *Identifying Negative Automatic Thought Patterns*. Stress & Development Lab. Retrieved October 12, 2021, from https://sdlab.-fas.harvard.edu/cognitive-reappraisal/identifying-negative-automatic-thought-patterns

Heckman, W. (2019, September 25). *42 Worrying Workplace Stress Statistics*. The American Institute of Stress. https://www.stress.org/42-worrying-workplace-stress-statistics

Jeffrey, S. (2020, June 23). *Change Your Fixed Mindset into a Growth Mindset [Complete Guide]*. Scott Jeffrey. https://scottjeffrey.com/change-your-fixed-mindset/#A_4-Step_Process_to_Change_Your_Mindset

Kim, E. S. (2017, January 4). *Optimism and Cause -Specific Mortality: A Prospective Cohort Study*. Oxford Academic. https://academic.oup.-com/aje/article/185/1/21/2631298

Koeck, M.D., P. (n.d.). *How does our brain process negative thoughts?* 15Minutes4Me. Retrieved October 12, 2021, from https://www.15minutes4me.com/depression/how-does-our-brain-process-negative-thoughts

Kurland Ph.D., B. (2018, September 13). *Reversing the Downward Spiral.* Psychology Today. https://www.psychologytoday.com/us/blog/the-well-being-toolkit/201809/reversing-the-downward-spiral

LaFreniere, A. S., & Newman, M. G. (2020, May 1). *Exposing Worryâs Deceit: Percentage of Untrue Worries in Generalized Anxiety Disorder Treatment.* ScienceDirect. https://www.sciencedirect.com/science/article/abs/pii/S0005789419300826

M. (2021, April 5). *8 Ways to Stop Taking Things Personally.* Dare to Live Fully. https://daringtolivefully.com/stop-taking-things-personally

Mackenzie, C.H.T., Ph.D., L. (n.d.). *Take A Hidden Negativity Test by Linda Mackenzie.* Linda Mackenzie's Mind Center. Retrieved October 12, 2021, from http://www.lindamackenzie.net/hiddennegativitytest.htm

Maloney, B. (2020, January 22). *The Damaging Effects of Negativity by Bree Maloney.* Marque Medical. https://marquemedical.com/damaging-effects-of-negativity/

Manchester City Council. (2019, August 29). *'Ey up petal – how docs are prescribing plants to keep Mancs (k)ale and hearty.* Healthier Manchester. https://healthiermanchester.org/ey-up-petal-how-docs-are-prescribing-plants-to-keep-mancs-kale-and-hearty/

National Institute of Mental Health. (n.d.). *NIMH » Social Anxiety Disorder: More Than Just Shyness.* NIMH. Retrieved October 12, 2021, from https://www.nimh.nih.gov/health/publications/social-anxiety-disorder-more-than-just-shyness

NeuroImage. (2015, January 15). *The artist emerges: Visual art learning alters neural structure and function.* ScienceDirect. https://www.sciencedirect.com/science/article/abs/pii/S1053811914009318

New Neuroscience Reveals 4 Easy Rituals That Will Make You Stress-Free. (2017, June 11). Barking Up The Wrong Tree. https://www.bakadesuyo.com/2017/02/stress-free/

NHS website. (2021, August 4). *5 steps to mental wellbeing.* Nhs.Uk. https://www.nhs.uk/mental-health/self-help/guides-tools-and-activities/five-steps-to-mental-wellbeing/

Nittle, N. (2021, July 2). *Can Social Media Cause Depression?* Verywell Mind. https://www.verywellmind.com/social-media-and-depression-5085354

Raypole, C. (2020, March 17). *Meet Anticipatory Anxiety, The Reason You Worry About Things That Haven't Happened Yet.* Healthline. https://www.healthline.com/health/anticipatory-anxiety#coping-tips

Riggio Ph.D., R. E. (2012, June 25). *There's Magic in Your Smile.* Psychology Today. https://www.psychologytoday.com/us/blog/cutting-edge-leadership/201206/there-s-magic-in-your-smile

Robson, D. (2020, August 18). *The 'Batman Effect': How having an alter ego empowers you*. BBC Worklife. https://www.bbc.com/worklife/article/20200817-the-batman-effect-how-having-an-alter-ego-empowers-you

Ryan, T. (2021, May 20). *The Best Essential Oils for Sleep*. Sleep Foundation. https://www.sleepfoundation.org/best-essential-oils-for-sleep

Sabxe, D. E., & Repetti, R. (2009, November 23). *SAGE Journals: Your gateway to world-class research journals*. SAGE Journals. https://journals.sagepub.com/action/cookieAbsent

Sánchez-Vidaña, D. I. (2017). *The Effectiveness of Aromatherapy for Depressive Symptoms: A Systematic Review*. PubMed Central (PMC). https://www.ncbi.nlm.nih.gov/pmc/articles/PMC5241490/

Sanju, H. K. (2015, December). *Neuroplasticity In Musicians Brain:Review*. Research Gate. https://www.researchgate.net/publication/286451613_Neuroplasticity_In_Musicians_BrainReview

Santos-Longhurst, A. (2018, August 31). *High Cortisol Symptoms: What Do They Mean?* Healthline. https://www.healthline.com/health/high-cortisol-symptoms#meaning

Scale of the Human Brain. (2020, December 11). AI Impacts. https://aiimpacts.org/scale-of-the-human-brain/

Scheier, M. F., & Carver, C. S. (2019, December 1). *Dispositional Optimism and Physical Health: A Long Look Back, A Quick Look Forward*. NCBI NLM NIH. https://www.ncbi.nlm.nih.gov/pmc/articles/PMC6309621/

Scully, S. M. (2020, July 22). *'Toxic Positivity' Is Real — and It's a Big Problem During the Pandemic*. Healthline. https://www.healthline.com/health/mental-health/toxic-positivity-during-the-pandemic#So,-how-do-you-deal-with-toxic-positivity

Sethi, S. (2020, October 7). *How to Tone Your Vagus Nerve and Why You Should*. Dr. Shelly Sethi. https://www.drshellysethi.com/2020/02/how-to-tone-your-vagus-nerve-and-why-you-should/

Skoyles, C. (2021, January 12). *5 Breathing Exercises for Anxiety (Simple and Calm Anxiety Quickly)*. Lifehack. https://www.lifehack.org/761526/breathing-exercises-for-anxiety-simple-and-calm-anxiety-quickly

Staff, N. (2020, October 12). *Tips to Help Stop Intrusive Thoughts*. Northpoint Recovery's Blog. https://www.northpointrecovery.com/blog/7-tips-deal-stop-intrusive-thoughts/

Stillman, J. (2021, January 5). *Bill Gates Always Reads Before Bed. Science Suggests You Should Too*. Inc.Com. https://www.inc.com/jessica-stillman/bill-gates-always-reads-for-an-hour-before-bed-science-suggests-you-should-do-same.html the Healthline Editorial Team. (2020, April 7). *The Benefits of Vitamin D.* Healthline. https://www.healthline.com/health/food-nutrition/benefits-vitamin-d#fights-disease

Wegner, D. M. (1987, July). *Paradoxical effects of thought suppression*. PubMed. https://pubmed.ncbi.nlm.nih.gov/3612492/

What to Know About 4–7-8 Breathing. (2021, June 14). WebMD. https://www.-webmd.com/balance/what-to-know-4-7-8-breathing

Why we should drink water at work. (n.d.). Water Plus Limited. Retrieved October 12, 2021, from https://www.water-plus.co.uk/fresh-thinking-hub/why-we-should-drink-water-at-work

Wolff, C. (2019, March 18). *How Negativity Actually Messes With Your Brain Chemistry*. FabFitFun. https://fabfitfun.com/magazine/negativity-effects-brain-chemistry/

Wong, Y. J. (2016, May 3). *Does gratitude writing improve the mental health of psychotherapy clients? Evidence from a randomized controlled trial.* Taylor & Francis. https://www.tandfonline.-com/doi/abs/10.1080/10503307.2016.1169332?scroll=top&needAc-cess=true&journalCode=tpsr20

Made in United States
Troutdale, OR
12/19/2024

26930230R00105